Dictionnaire

de
l'écrivain en herbe

Jacques Beauchesne

Dictionnaire
de
l'écrivain en herbe

Guérin Montréal
Toronto

4501, rue Drolet
Montréal (Québec) H2T 2G2 Canada
Téléphone: (514) 842-3481
Télécopieur: (514) 842-4923
Courrier électronique: francel@guerin-editeur.qc.ca
Site Internet: http://www.guerin-editeur.qc.ca

© Guérin, éditeur ltée, 2005
2e édition revue et corrigée

4501, rue Drolet
Montréal (Québec)
H2T 2G2
Tél.: (514) 842-3481
Téléc.: (514) 842-4923
Courrier électronique: francel@guerin-editeur.qc.ca
Site Internet: http://www.guerin-editeur.qc.ca

Dépôt légal
ISBN 2-7601-6813-1
Bibliothèque nationale du Québec, 2005
Bibliothèque nationale du Canada, 2005
IMPRIMÉ AU CANADA

Nous reconnaissons l'aide financière du gouvernement
du Canada par l'entremise du Programme d'Aide au
Développement de l'Industrie de l'Édition (PADIÉ)
pour nos activités d'édition.

Canadä

Photo de la couverture Jeune Mozart/Courtoisie de Naxos
Maquette de la couverture Guérin éditeur
Mise en pages, infographie Guérin éditeur
Révision linguistique Ginette Létourneau

Distribution
    A.D.G.
    (Agence de distribution Guérin)
    4501, rue Drolet
    Montréal (Québec)
    H2T 2G2
    Tél.: (514) 842-3481
    Téléc.: (514) 842-4923

«Gouvernement du Québec – Programme de crédit
d'impôt pour l'édition de livres – Gestion SODEC»

Dédicace

À mes deux petits-neveux Léo et Domenico et aux autres à venir,
parce que je crois fermement que l'essor ou la disparition du français
dépend de cette nouvelle génération.

Préface

On dit que tout se joue avant six ans. Même si mon grand-père n'a jamais lu l'ouvrage du Dr Dodson, je l'ai toujours considéré comme un pédagogue-né. C'est donc lui qui m'a introduit au mystère de la lecture. Il s'appelait Polycarpe, un nom qu'il détestait et qui pourtant lui allait si bien, car il signifie «fruits en abondance». Il faut savoir qu'il était peintre en mobiliers, fabricant de jouets et, les week-ends, conteur du quartier.

Le premier livre qu'il a bien voulu partager avec moi était un numéro de la revue *National Geographic* (il n'y avait pas encore de version française), mais c'était à ses yeux l'ouvrage le plus ouvert sur le monde. C'est ainsi que j'ai pu observer pour la première fois les Papous et les grands danseurs de Tanzanie. Le jour où il m'initia à la lecture (je devais avoir un peu moins de quatre ans) restera à jamais fixé dans ma mémoire. Il m'appela au salon, qui était orné d'un encombrant piano mécanique, et je m'assis sur ses genoux — les enfants portaient alors des pantalons courts, et les grands-pères, des pantalons en tissu rugueux qui piquait. Il m'apprit alors qu'en reliant les caractères d'imprimerie, on pouvait former un mot qui avait un sens. Plus tard, il insista sur l'importance de donner un nom approprié à chaque chose et de l'habiller d'un adjectif qualificatif qui, comme son nom l'indique, peut décrire adéquatement son apparence ou ses caractéristiques principales.

C'est ainsi que j'ai commencé à observer le monde de plus près et à recourir aux dictionnaires pour développer mon vocabulaire. Ce fut le début d'une longue aventure que je voudrais à mon tour partager avec vous.

Mode d'emploi:

- Il y a des mots que l'on rencontre le plus souvent accompagnés d'un adjectif. Dans ce cas-là, ils sont suivis de la formule: (+ adjectif). Ex.: avoir les cheveux (+ adjectif); il faut ajouter ici, après ou avant le nom, l'adjectif qui convient: clairs, frisés, ébouriffés, etc.

- Lorsque les verbes sont suivis d'un ou de plusieurs déterminants, comme un/le/des/son/ses, il faut choisir celui qui convient et accorder le nom auquel il se rapporte au singulier ou au pluriel, selon le cas. Ex.: trouver un/des moyen(s); donc, trouver un moyen ou trouver des moyens.

- Lorsqu'un mot a plusieurs sens, chacun d'entre eux est indiqué entre parenthèses. Ex.: plat (*récipient*) (*mets*)

- Lorsqu'un mot est utilisé au féminin, les adjectifs qui le suivent doivent être accordés. Ex.: chien aboyeur, affectueux, craintif, doux; chienne aboyeuse, affectueuse, craintive, douce.

Remarques:

- Il se peut que l'enfant rencontre un mot dont il n'est pas absolument sûr de la signification. Dans ce cas-là, qu'il n'hésite pas à consulter un dictionnaire usuel, car, bien sûr, j'ai glissé quelques mots plus recherchés, histoire d'élargir son vocabulaire. Le *Dictionnaire de l'écrivain en herbe* est donc un ouvrage évolutif qui accompagnera longtemps l'utilisateur et l'utilisatrice.

- Bien entendu, la liste des adjectifs et des verbes n'est pas complète, car elle aurait été interminable et ennuyeuse pour les jeunes lecteurs et lectrices. Il y a également un autre avantage, celui de rendre l'ouvrage interactif et de stimuler l'imagination et la créativité de la classe. En effet, ce pourrait être l'occasion pour les professeurs d'organiser un jeu autour du *Dictionnaire de l'écrivain en herbe*, à savoir qui trouvera le plus de mots qui ne figurent pas dans le livre.

  Sur ce, j'invite tous les écrivains et écrivaines en herbe à explorer l'univers fascinant de l'écriture.

Remerciements

Mes vifs remerciements vont à mon épouse Ginette et à mes filles Maude et Kim, pour leur participation active à toutes les étapes de l'élaboration du dictionnaire.

À Mélanie Allard, Caroline Beauchesne et Andrée Laroche, toutes professeures au primaire, qui ont eu la gentillesse de bien vouloir me donner leur avis sur le niveau de difficulté du *Dictionnaire de l'écrivain en herbe.*

Sans oublier mon indéfectible éditeur Marc-Aimé Guérin.

A

ABEILLE active, agressive, butineuse, furieuse, industrieuse, inoffensive, nonchalante, rapide, sournoise, travailleuse, velue. *Une abeille butine, bourdonne, se pose, tourbillonne, vole, volette, vrombit, zigzague.*

ABOIEMENT aigu, bruyant, craintif, faible, féroce, fort, furieux, grave, joyeux, léger, long, persistant, plaintif, prolongé, rageur, terrible, timide. *Émettre, laisser échapper, lancer un* aboiement. *Un aboiement retentit, se fait entendre.*

ABRI bon, excellent, fragile, improvisé, piètre, précaire, provisoire, rudimentaire, secret, sommaire, sûr. *Chercher, construire, découvrir, gagner, trouver un* abri; *être à l'*abri; *se réfugier dans un* abri.

ABSENCE brève, cruelle, forcée, fréquente, importante, imprévue, injustifiée, inquiétante, longue, motivée, occasionnelle, prévue, prolongée, regrettable, répétée, tragique, triste. *Constater, déplorer, justifier, remarquer, supporter une* absence. *Une absence dure, se fait sentir, se prolonge, s'éternise.*

ACCENT adorable, atroce, chantant, charmant, comique, correct, curieux, étranger, exagéré, faible, fort, léger, marqué, mélodieux, nasillard, parfait, reconnaissable, ridicule, savoureux, sympathique, terrible. *Avoir, garder, imiter, perdre, prendre un* accent; *parler avec un* accent; *parler sans* accent.

ACCIDENT absurde, affreux, banal, bête, dramatique, fâcheux, fatal, grave, horrible, insignifiant, léger, mémorable, mortel, spectaculaire, stupide, terrible, tragique. *Causer, éviter, occasionner, prévenir, provoquer, risquer, signaler un* accident; *Être blessé, mourir dans un* accident; *survivre à un* accident. *Un accident a lieu, arrive, se produit, survient.*

ACCROC énorme, grand, gros, important, large, léger, minuscule, vilain. *Faire, raccommoder, réparer, repriser un* accroc. *Un accroc s'agrandit, s'élargit.*

ACCROCHAGE banal, énorme, léger, majeur, mineur, spectaculaire, terrible, violent. *Avoir, causer, entraîner, éviter, provoquer, subir un* accrochage. *Un accrochage a lieu, arrive, se produit, survient.*

ACCUEIL agréable, amical, bon, brutal, chaleureux, courtois, émouvant, empressé, excellent, exceptionnel, grandiose, mauvais, mémorable, poli, privilégié, timide. *Faire, obtenir, offrir, recevoir un* accueil *(+ adjectif).*

ACHAT encombrant, futile, important, impulsif, indispensable, inutile, irréfléchi, judicieux, minime, réfléchi, superflu, utile, valable. *Effectuer, faire, payer, prévoir, réaliser, régler un* achat.

ACROBATE agile, audacieux, extraordinaire, habile, prodigieux, remarquable, spectaculaire, talentueux. *Admirer, applaudir un* acrobate.

ACROBATIE audacieuse, dangereuse, difficile, époustouflante, extraordinaire, osée, ratée, réussie, spectaculaire. *Accomplir, effectuer, exécuter, faire, rater, réaliser, réussir une/des* acrobatie(s).

ACTEUR (féminin : **actrice**) brillant, célèbre, débutant, doué, excellent, exceptionnel, expérimenté, grand, médiocre, merveilleux, piètre, pitoyable, raté, remarquable, renommé, sensationnel, sublime. *Acclamer, applaudir, critiquer un* acteur.

ACTION brave, compliquée, efficace, grandiose, grave, héroïque, honnête, idiote, injustifiée, irréfléchie, mémorable, simple, violente. *Accomplir, commettre, décourager, encourager, entreprendre une* action. Une action commence, débute, prend fin, se déroule, se passe, se produit, se termine.

ACTIVITÉ accaparante, banale, éducative, ennuyeuse, exigeante, frivole, futile, importante, intéressante, monotone, passionnante, prenante, saine, sérieuse, simple. *Abandonner, accomplir, cesser, coordonner, créer, exécuter, pratiquer, suspendre une* activité*; participer, prendre part à une* activité*; se lancer, s'engager, s'impliquer dans une* activité. Une activité a lieu, commence, débute, se déroule, se termine.

ADMIRATEUR (féminin : **admiratrice**) anonyme, béat, empressé, enthousiaste, excessif, fanatique, farouche, fervent, fidèle, modeste, passionné, secret, sincère, tenace, zélé.

ADOLESCENCE agitée, douillette, épanouie, frustrée, gâchée, heureuse, insouciante, mouvementée, oisive, orageuse, paisible, pénible, perturbée, précoce, rangée, rebelle, solitaire, tardive, tourmentée, tragique, tranquille, triste, tumultueuse. *Avoir, connaître, vivre une* adolescence *(+ adjectif).*

ADOLESCENT (féminin : **adolescente**) amorphe, blasé, brillant, calme, choyé, complexé, débrouillard, délinquant, doué, dynamique, espiègle, éveillé, heureux, hyperactif, idéaliste, incompris, passif, perturbé, poli, rebelle, renfermé, réservé, responsable, rêveur, révolté, robuste, sage, sérieux, sociable, solitaire, talentueux, timide, turbulent.

ADRESSE ancienne, bonne, erronée, exacte, fausse, fictive, fixe, incomplète, inexacte, mauvaise, nouvelle, permanente, temporaire, vague. *Chercher, demander, donner, inscrire, laisser, prendre, trouver une adresse.*

ADULTE autoritaire, compréhensif, épanoui, équilibré, expérimenté, indépendant, irresponsable, mûr, responsable. *Devenir, être un adulte.*

ADVERSAIRE acharné, agressif, coriace, dangereux, déloyal, déterminé, farouche, féroce, habile, impitoyable, lâche, loyal, médiocre, piètre, puissant, redoutable, rude, rusé, terrible, violent. *Affronter, attaquer, battre, blesser, bousculer, combattre, défaire, défier, déjouer, dominer, éliminer, intimider, rencontrer, vaincre un/ son adversaire.*

AÉROPORT achalandé, bondé, désert, encombré, gigantesque, immense, minuscule, moderne, modeste, vaste, vide. *Attendre, entrer dans un aéroport; atterrir, se poser à un aéroport; décoller d'un aéroport.*

AFFAIRE banale, capitale, compliquée, délicate, embarrassante, grave, honnête, importante, irrésolue, louche, malhonnête, mystérieuse, réglée, risquée, sérieuse, simple, triste, urgente. *Approfondir, arranger, discuter, éclaircir, entreprendre, résoudre, terminer une affaire.*

AFFICHE alléchante, défraîchie, géante, illustrée, impeccable, minuscule, moche, multicolore. *Apposer, arracher, coller, dessiner, fixer, réaliser une affiche.*

ÂGE adulte, approximatif, avancé, certain, critique, idéal, ingrat, innocent, jeune, légal, limite, mental, moyen, mûr, précis, précoce, réel, requis, respectable, spécifique, vénérable. *Atteindre, avoir un âge (+ adjectif); Cacher, dire, oublier, paraître son âge; être d'un âge (+ adjectif).*

AGNEAU (féminin: **agnelle**) agile, craintif, docile, doux, faible, folâtre, frêle. Un agneau broute, gémit, paît; *(son cri)* bêle.

AGRESSION atroce, barbare, brusque, cruelle, grave, ignoble, impitoyable, inqualifiable, lâche, légère, majeure, mineure, odieuse, répétée, sauvage, sournoise, violente. *Commettre, subir, vivre une agression; être victime d'une* *agression*. Une agression a lieu, se produit.

AGRICULTURE archaïque, biologique, conventionnelle, florissante, industrielle, intensive, mécanisée, moderne, performante, polluante, propre, prospère. *Pratiquer, protéger l'agriculture.*

AIGLE déployé, fantastique, géant, gigantesque, immense, magnifique, majestueux, puissant, rapide. *Contempler, observer un aigle.* Un aigle attaque, chasse, déploie ses ailes, dévore, plane, plonge, s'élève, surgit, survole, vole; *(son cri)* glapit.

AIGUILLE courbe, courte, droite, épaisse, fine, grosse, longue, mince, pointue, spéciale. *Fixer, insérer, introduire, planter, utiliser une aiguille.*

AILE (*s'emploie généralement au pluriel*) agiles, brillantes, colorées, courtes, déployées, étroites, faibles, fermées, frêles, frémissantes, légères, longues, ouvertes, pendantes, puissantes, rabattues, repliées. *Agiter, battre, déployer, ouvrir, refermer, replier les/ses ailes.* Des ailes battent, s'agitent, se déploient, se ferment, se rabattent, se replient, s'ouvrent.

AIR (*brise*) agréable, chaud, frais, froid, glacé, humide, irrespirable, malsain, nauséabond, parfumé, pluvieux, pollué, pur, sain, sec, tiède, vicié. *Aspirer, humer, purifier, respirer l'air.* □(*manière, expression*) abattu, admiratif, amusé, attentif, bizarre, boudeur, craintif, dégoûté, distingué, distrait, doux, dur, effronté, embarrassé, enthousiaste, étonné, farouche, féroce, gêné, hautain, honteux, hypocrite, joyeux, maussade, méprisant, misérable, radieux, ridicule, sévère, songeur, stupide, supérieur, suppliant, timide, triste, victorieux. *Afficher, avoir, prendre, se donner un air (+ adjectif).* □(*mélodie*) agréable, célèbre, doux, entraînant, gai, lent, mélodieux, monotone, populaire, rapide, triste. *Chanter, composer, écrire, fredonner, jouer, siffler un air.*

ALARME faible, forte, sonore, stridente. *Actionner, déclencher, programmer une alarme.* Une alarme résonne, retentit, sonne.

ALBUM garni, jauni, mince, poussiéreux, volumineux. *Faire, feuilleter, réaliser, regarder un album.*

ALIMENT amer, appétissant, chaud, congelé, cru, cuit, doux, dur, équilibré, fade, fin, frais, froid, gras, léger, lourd, maigre, naturel, nourrissant, nutritif, pauvre, rafraîchissant, riche, sain, salé, savoureux, sec, sucré, tendre, tiède. *Apprêter, cuisiner, déguster, détester, goûter, manger, préparer, servir un* aliment.

ALIMENTATION abondante, appropriée, diversifiée, équilibrée, insuffisante, pauvre, riche, saine, savoureuse, variée. *Changer, équilibrer, négliger, surveiller, varier son* alimentation.

ALLERGIE aiguë, chronique, grave, légère, passagère, rare, sévère. *Avoir, causer, développer, faire, provoquer, traiter une* allergie. Une allergie apparaît, disparaît, se manifeste.

ALLURE bizarre, décidée, décontractée, distinguée, drôle, dynamique, effrontée, élégante, fanfaronne, féroce, fière, fragile, grotesque, hésitante, imposante, louche, négligée, paisible, paresseuse, posée, respectable, sportive, suspecte. *Avoir, donner, garder, prendre une* allure *(+ adjectif)*.

AMBIANCE accueillante, agréable, animée, austère, bruyante, calme, chaleureuse, chaude, conviviale, décontractée, douce, étrange, euphorique, excitée, pesante, relaxante, sereine, tendue, triste, vivante. *Créer, donner, mettre, produire une* ambiance *(+ adjectif); mettre de l'*ambiance.

Une ambiance règne, s'installe, tombe.

AMÉLIORATION apparente, considérable, énorme, évidente, importante, impressionnante, incroyable, insuffisante, légère, lente, nette, radicale, remarquable, spectaculaire, subtile, superficielle. *Apporter, constater, noter, observer, réaliser une* amélioration. Une amélioration a lieu, se fait sentir, s'impose.

AMI (féminin: amie) aimable, commun, désintéressé, dévoué, disponible, excellent, faux, fiable, fidèle, généreux, gentil, inconditionnel, intime, irremplaçable, précieux, sincère. *Avoir, perdre, trahir, tromper, trouver un* ami*; renouer, se brouiller, se disputer avec un* ami.

AMITIÉ chaleureuse, constante, douteuse, éternelle, étroite, exclusive, extrême, fausse, fidèle, forte, intense, passagère, possessive, précieuse, profonde, pure, rare, sincère, solide, suspecte, tendre, vraie. *Briser, conserver, cultiver, entretenir, mériter, rompre, trahir une* amitié*; se lier, se prendre d'*amitié. Une amitié dure, grandit, meurt, se noue, s'établit, s'intensifie.

AMOUR aveugle, compliqué, éternel, excessif, exclusif, exigeant, fidèle, fou, frivole, innocent, intense, parfait, passager, passionné, profond, réciproque, sincère, spontané, tendre, unique, véritable. *Connaître, éprouver, ressentir, vivre un amour (+ adjectif).*

AMPOULE brillante, claire, fluorescente, grillée, opaque, translucide. *Changer, dévisser, visser une ampoule.* Une ampoule s'allume, s'éteint.

ÂNE (féminin: **ânesse**) buté, docile, doux, entêté, fourbu, indolent, indomptable, paresseux, récalcitrant, rétif, robuste, sot, stupide, têtu, vigoureux. *Charger, conduire un âne.* Un âne piaffe, se rebiffe, renâcle, trottine; (*ses cris*) brait, crie.

ANIMAL affectueux, agile, agressif, apprivoisé, attachant, capricieux, craintif, criard, cruel, dangereux, docile, doux, élégant, farouche, féroce, fidèle, fougueux, frêle, furieux, gigantesque, gracieux, infatigable, inoffensif, intelligent, maigre, malfaisant, massif, nerveux, nonchalant, nuisible, obéissant, paisible, paresseux, rétif, robuste, rusé, solitaire, svelte, timide, trapu, utile, vif, vigoureux, vorace. *Apprivoiser, attraper, caresser, chasser, domestiquer, dompter, dresser, effaroucher, élever, flatter, maltraiter, nourrir, recueillir, siffler, soigner, toiletter un animal.*

ANNÉE capitale, catastrophique, cruciale, décisive, désastreuse, déterminante, éprouvante, épuisante, fructueuse, médiocre, mémorable, mouvementée, prospère, record. *Commencer, clore, entamer, entreprendre, finir, ouvrir l'année; connaître, passer, traverser, vivre une année (+ adjectif).* Une année s'achève, passe, s'écoule, tire à sa fin.

ANNIVERSAIRE douloureux, heureux, important, inoubliable, joyeux, mémorable, réussi, triste. *Célébrer, fêter, organiser, oublier, souhaiter un anniversaire.*

APPAREIL compliqué, défectueux, désuet, encombrant, fragile, léger, lourd, moderne, performant, puissant, rudimentaire, simple, sophistiqué, utile. *Actionner, allumer, brancher, éteindre, faire fonctionner, fermer, réparer, utiliser un appareil.*

APPARENCE agréable, austère, bizarre, correcte, discrète, élégante, frêle, impeccable, insolite, irréprochable, misérable, négligée, normale, parfaite, pauvre, piètre repoussante, riche, saine, séduisante, soignée, triste. *Afficher, avoir, donner, offrir une apparence (+ adjectif).*

APPARTEMENT accueillant, chaleureux, confortable, délabré, douillet, élégant, encombré, ensoleillé, étouffant, immense, impeccable, luxueux, magnifique, meublé, minable, modeste, sombre, superbe, vacant, vide. *Aménager, chercher, décorer, habiter, louer, partager, trouver un appartement.*

APPEL bref, court, fructueux, interminable, long, rapide. *Avoir, effectuer, faire, passer, prendre, recevoir un appel.*

APPÉTIT anormal, colossal, énorme, faible, féroce, immodéré, incroyable, insatiable, moyen, phénoménal, solide. *Aiguiser, assouvir, contrôler, couper, donner, ouvrir, stimuler l'appétit; avoir un appétit (+ adjectif).*

APPLAUDISSEMENT (*s'emploie généralement au pluriel*) bruyants, chaleureux, clairsemés, déchaînés, enthousiastes, interminables, mérités, polis, prolongés, tièdes, timides, vigoureux. *Déclencher, soulever, susciter des applaudissements.* Des applaudissements cessent, éclatent, retentissent, se prolongent, s'éteignent.

APTITUDE certaine, évidente, exceptionnelle, extraordinaire, faible, forte, incontestable, innée, insuffisante, limitée, naturelle, particulière, rare, réelle, remarquable, surprenante. *Avoir, démontrer, développer, exiger, nécessiter une aptitude.*

AQUARIUM énorme, géant, immense, minuscule, moyen, spacieux, vaste. *Aménager, entretenir, installer, posséder un aquarium.*

ARAIGNÉE agressive, dangereuse, énorme, géante, immense, inoffensive, minuscule, poilue, répugnante, velue. *Capturer, observer une araignée.* Une araignée bâtit son cocon, mord, pique, tisse sa toile.

ARBITRE compétent, équitable, honnête, inflexible, neutre, objectif, partial, qualifié, zélé. *Consulter, critiquer, nommer, suspendre, trouver un arbitre.*

ARBRE chétif, dégarni, déraciné, élancé, énorme, exotique, feuillu, gigantesque, imposant, luxuriant, maigre, majestueux, malade, noueux, rabougri, robuste, sauvage, solitaire, svelte, tortueux, trapu, vigoureux. *Abattre, couper, cultiver, déraciner, planter, tailler un arbre.* Un arbre bourgeonne, grandit, grossit, meurt, penche, porte des fruits, pousse, prend racine, se dégarnit, s'effeuille, s'épanouit, se reproduit, vieillit.

ARBUSTE bas, décoratif, élégant, élevé, épineux, fleuri, nain, rabougri, rachitique, touffu, vigoureux. *Cultiver, planter, tailler un arbuste. Un arbuste croît, grandit, pousse, se développe.*

ARC-EN-CIEL brillant, coloré, lumineux, pâle. *Admirer, contempler un arc-en-ciel. Un arc-en-ciel apparaît, surgit.*

ARME dangereuse, efficace, énorme, fiable, massive, meurtrière, minuscule, performante, puissante, redoutable, rudimentaire, simple, sophistiquée, terrifiante. *Brandir, charger, confisquer, diriger, dissimuler, manier, pointer, porter, posséder, tenir, utiliser une arme.*

ARMÉE affaiblie, brave, considérable, défaite, entraînée, faible, forte, impressionnante, improvisée, organisée, puissante, redoutable, vaincue, victorieuse. *Affronter, attaquer, battre, former, lever, ravitailler, vaincre une armée.* Une armée attaque, avance, capitule, défile, recule, se défend.

ARMOIRE étroite, large, profonde, spacieuse. *Ranger une armoire.*

ARMURE brillante, légère, lourde, robuste, rutilante. *Porter une armure.*

ARRIVÉE brusque, discrète, fracassante, imprévue, précoce, remarquée, soudaine, spectaculaire, tardive, triomphale. *Attendre, célébrer, craindre, espérer, guetter, signaler une arrivée.*

ART ancien, authentique, complexe, délicat, difficile, incomparable, inégalé, ingénieux, inimitable, original, populaire, précis, raffiné, remarquable, révolutionnaire, savant, simple, suprême, unique. *Apprendre, connaître, enseigner, étudier, exercer, maîtriser, posséder, pratiquer un art; exceller, se perfectionner dans un art.*

ARTICLE bref, clair, confus, décousu, documenté, ennuyeux, excellent, intéressant, monotone, objectif, passionnant, pertinent, subjectif. *Écrire, faire, lire, publier, rédiger un article.*

ARTISANAT authentique, créatif, diversifié, intéressant, original, raffiné, réputé, traditionnel, unique, varié. *Développer, encourager, pratiquer l'artisanat.* Un artisanat prospère, se développe.

ARTISTE célèbre, complet, doué, extravagant, génial, ingénieux, méconnu, médiocre, original, raté, réputé, talentueux, véritable. *Devenir, être un artiste.* Un artiste évolue, se produit.

ASCENSEUR étroit, moderne, panoramique, vaste, vétuste, vitré. *Appeler, attendre, prendre, utiliser un ascenseur.* Un ascenseur arrive, descend, monte, tombe en panne.

ASSIETTE (*vaisselle*) cassée, creuse, ébréchée, énorme, fêlée, immense, plate, profonde. □(*quantité*) abondante, garnie, généreuse, parcimonieuse. *Déguster, dévorer, manger, savourer, vider une/son assiette.*

ASTRE brillant, errant, éteint, étincelant, inconnu, invisible, lointain, lumineux, mystérieux, resplendissant. *Apercevoir, contempler, découvrir, observer un astre.* Un astre apparaît, brille, disparaît, scintille, s'éteint.

ATHLÈTE agile, complet, débutant, doué, exceptionnel, expérimenté, filiforme, infatigable, moyen, musclé, performant, piètre, rapide, remarquable, robuste, souple, talentueux, véritable. *Développer, entraîner, préparer, sélectionner un athlète.*

ATTENTE angoissante, courte, désespérée, exaspérante, frustrante, interminable, inutile, légère, longue, paisible, pénible, vaine. Une attente s'achève, se prolonge, s'éternise.

ATTITUDE agressive, arrogante, convenable, correcte, courageuse, dure, effrontée, exemplaire, froide, hautaine, imprudente, inacceptable, insultante, irréprochable, louche, méprisante, modérée, provocante, raisonnable, responsable, soumise, timide. *Avoir, adopter, garder, prendre une attitude (+ adjectif); changer d'attitude.*

AUBAINE extraordinaire, fantastique, formidable, incroyable, inespérée. *Offrir, proposer, saisir une aubaine; profiter d'une aubaine.*

AUDITOIRE admiratif, amusé, attentif, clairsemé, diversifié, ébahi, enthousiaste, nombreux, réceptif, subjugué, vaste. *Captiver, charmer, décevoir, émerveiller, émouvoir, endormir, ennuyer, intéresser un auditoire; s'adresser à un auditoire.*

AUGMENTATION brusque, continuelle, élevée, énorme, exagérée, exceptionnelle, gigantesque, inattendue, légère, minime, modeste, normale, progressive, raisonnable, spectaculaire. *Constater, entraîner, observer, subir une augmentation.*

AUTEUR (féminin : **auteure**) brillant, célèbre, excellent, favori, illustre, intéressant, méconnu, médiocre, populaire, raté, renommé. *Apprécier, citer, découvrir, lire, recommander un* auteur.

AUTO (ou **automobile**) bringuebalante, bruyante, coûteuse, confortable, défectueuse, écologique, économique, élégante, luxueuse, modeste, performante, polluante, puissante, rapide, robuste, rouillée, rutilante, vieille. *Arrêter, conduire, faire démarrer, garer, posséder, remorquer, réparer, stationner une* auto.

AUTOBUS achalandé, bondé, bringuebalant, comble, confortable, lent, plein, rapide, rempli, vide. *Attendre, conduire, prendre, rater un* autobus.

AUTOGRAPHE *Accorder, avoir, demander, obtenir, signer, solliciter un* autographe.

AUTOMNE agréable, court, doux, ensoleillé, exceptionnel, frais, froid, interminable, long, pluvieux, précoce, radieux, tardif, triste. *L'automne approche, avance, touche à sa fin.*

AUTORISATION exceptionnelle, officielle, spéciale, temporaire. *Accorder, avoir, demander, donner, obtenir, recevoir, refuser une* autorisation.

AUTOROUTE bondée, cahoteuse, congestionnée, dangereuse, déserte, droite, fréquentée, large, monotone, rapide, sinueuse. *Circuler, rouler sur une* autoroute; *prendre, quitter une* autoroute.

AVANTAGE appréciable, considérable, énorme, évident, immense, inestimable, léger, net, précieux, réel. *Apporter, donner, offrir, procurer un* avantage.

AVENIR assuré, bouché, brillant, confortable, difficile, heureux, incertain, inquiétant, malheureux, paisible, prometteur, prospère, serein, sombre, superbe. *Craindre, envisager, imaginer, prédire, préparer l'*avenir.

AVENTURE amusante, banale, brève, dangereuse, décevante, étourdissante, folle, formidable, inoubliable, mouvementée, passionnante, pénible, périlleuse, risquée, terrible, triste. *Participer à une* aventure; *raconter, vivre une* aventure.

AVENUE animée, déserte, élégante, immense, large, longue, ombragée. *Croiser, descendre, emprunter, monter, traverser une* avenue.

AVERSE abondante, brève, brusque, courte, diluvienne, douce, faible, forte, rafraîchissante, soudaine, torrentielle, violente. *Recevoir, subir une* averse. Une averse arrive, s'abat, s'annonce, survient, tombe.

AVERTISSEMENT amical, clair, ferme, final, précis, sérieux, sévère, subtil. *Donner, ignorer, recevoir, suivre un* avertissement.

AVION bruyant, désuet, gigantesque, inconfortable, ultramoderne, silencieux, spacieux. *Aller, monter, partir, survoler, voyager en* avion; *piloter, prendre, rater un* avion. Un avion atterrit, décolle, plane, s'écrase, se fracasse, s'élève, se pose, survole, vole, voyage.

B

BAGAGE (*s'emploie généralement au pluriel*) encombrants, indispensables, légers, lourds, menus, modestes, nécessaires, superflus, utiles, volumineux. *Défaire, emporter, faire, porter, poser, préparer, transporter des/ses bagages.*

BAGARRE acharnée, dure, féroce, furieuse, horrible, impitoyable, infernale, mémorable, mortelle, rude, sauvage, violente. *Commencer, déclencher, éviter, faire cesser, gagner, perdre, provoquer une bagarre; participer à une bagarre.* Une bagarre a lieu, éclate, explose, s'engage.

BAGUE brillante, éclatante, élégante, encombrante, étincelante, magnifique, modeste, précieuse, simple, sophistiquée. *Enlever, mettre, retirer sa bague; porter une bague.*

BAIE ample, étroite, fermée, gigantesque, large, longue, marécageuse, ouverte, protégée, profonde, retirée, sablonneuse, sauvage, secrète. *Entrer, s'ancrer dans une baie; longer, traverser une baie.*

BAIGNADE agréable, brève, courte, forcée, longue, prolongée, rafraîchissante, rapide, relaxante, revigorante. *Effectuer, faire une baignade.*

BÂILLEMENT bref, bruyant, contagieux, incontrôlable, léger, nerveux, prolongé. *Déclencher, étouffer, feindre, retenir un bâillement.*

BAIN brûlant, chaud, froid, glacé, moussant, parfumé, rafraîchissant, savonneux, tiède. *Donner, prendre, préparer un bain.*

BAISER affectueux, ardent, dégoûtant, doux, enflammé, humide, innocent, langoureux, maladroit, prolongé, rapide, savoureux, sonore, tendre. *Donner, échanger, recevoir, refuser, voler un baiser.*

BALADE agréable, courte, longue, magnifique, plaisante, relaxante, sportive, superbe, tranquille. *Effectuer, faire, organiser une balade.*

BALCON couvert, étroit, exigu, fleuri, immense, large, long, modeste, ouvragé, suspendu.

BALEINE énorme, géante, grosse, majestueuse, monstrueuse. *Admirer, contempler, observer des baleines.* Une baleine émerge, plonge, s'amuse, saute, s'échoue.

BALLE amortie, basse, coupée, dure, haute, molle, nulle, puissante, rapide, roulante. *Arrêter, attraper, bloquer, envoyer, frapper, jouer, lancer, manquer, passer, rater, saisir une balle.*

BALLERINE délicate, élégante, gracieuse, illustre, talentueuse. *Une ballerine danse, fait des pointes, pivote, tourne.*

BALLET *Assister à un ballet; danser, exécuter, interpréter, voir un ballet.*

BALLON dur, facile, glissant, mou, puissant, rapide. *Arrêter, attraper, bloquer, diriger, frapper, immobiliser, intercepter, lancer, manquer, passer, rater, toucher, transmettre un/le ballon.*

BANANE appétissante, délicieuse, farineuse, flambée, meurtrie, molle, mûre. *Cueillir, peler une banane.*

BANC bas, bringuebalant, court, étroit, haut, inconfortable, long, rembourré, solide, vieux. *S'allonger, s'asseoir, s'installer sur un banc.*

BANDAGE énorme, improvisé, lâche, serré, souillé, stérile, temporaire. *Enlever, enrouler, faire, mettre, porter, poser, serrer un bandage.*

BANDIT armé, célèbre, dangereux, notoire, recherché, redoutable. *Arrêter, capturer, poursuivre, traquer un bandit.*

BANLIEUE calme, chic, cossue, défavorisée, déserte, élégante, ennuyeuse, huppée, industrielle, misérable, paisible, pauvre, résidentielle, surpeuplée, tranquille. *Demeurer, habiter, résider, vivre en banlieue.*

BANQUE grande, modeste, prestigieuse, réputée, sérieuse. *Administrer, attaquer, dévaliser, diriger une banque.*

BANQUET grandiose, prestigieux, somptueux. *Donner, offrir, organiser, préparer un banquet.*

BARBE abondante, blanche, broussailleuse, épaisse, fausse, forte, fournie, frisée, grisonnante, négligée, piquante, rare, rude, soignée, soyeuse. *Couper, se faire, se laisser pousser, se raser, se tailler la barbe.*

BARQUE étanche, frêle, légère, lourde, plate, profonde, rapide, solide. *Amarrer, conduire, diriger, faire chavirer, hâler, remorquer, tirer une barque. Une barque accoste, coule, dérive, prend l'eau, s'échoue, se renverse, sombre, tangue, vogue.*

BARRIÈRE basse, élevée, énorme, frêle, grillagée, haute, solide. *Construire, dresser, enjamber, fermer, franchir, ouvrir, sauter une barrière.*

BAS (*s'emploie généralement au pluriel*) courts, épais, fins, longs, neufs, percés, propres, raccommodés, sales, troués, vieux. *Enfiler, enlever, mettre, ôter, porter des/ses* bas.

BASE-BALL *Être un fan de* base-ball; *jouer au* base-ball; *pratiquer le* base-ball.

BASKET-BALL *Être un adepte de* basket-ball; *jouer au* basket-ball; *pratiquer le* basket-ball.

BATAILLE acharnée, désordonnée, épuisante, importante, incessante, permanente, rude, serrée, spectaculaire, terrible, violente. *Commencer, engager, faire cesser, gagner, livrer, perdre une* bataille.

BATEAU confortable, délabré, effilé, équipé, immense, insubmersible, lent, luxueux, naufragé, rapide, rouillé, solide. *Amarrer, conduire, gouverner, manœuvrer, piloter un* bateau. Un bateau accoste, coule, démarre, dérive, lève l'ancre, navigue, s'amarre, s'échoue, s'enlise, sombre, stationne, tangue, vogue.

BÂTIMENT abandonné, colossal, délabré, désaffecté, discret, grandiose, immense, insalubre, luxueux, magnifique, modeste, prestigieux, rudimentaire, spacieux, superbe, vaste. *Construire, démolir, habiter, occuper, rénover, restaurer un* bâtiment.

BÂTON court, énorme, fourchu, fragile, léger, long, lourd, noueux, robuste, solide. *Brandir, lancer, tenir un* bâton.

BATTERIE à plat, chargée, déchargée, épuisée, faible, puissante. *Charger, recharger une* batterie.

BEAUTÉ éblouissante, enchanteresse, exotique, exquise, extraordinaire, extrême, fanée, fatale, inimaginable, naturelle, ordinaire, originale, paradisiaque, rare, resplendissante, sublime, superficielle. *Être d'une* beauté *(+ adjectif)*.

BÉBÉ agité, braillard, calme, charmant, difficile, facile, grassouillet, grognon, joufflu, minuscule, obèse, pleurnichard, sage. *Allaiter, attendre, avoir, changer, porter un* bébé. Un bébé babille, braille, gazouille, pleure, rampe, se traîne.

BEC aplati, court, crochu, dentelé, effilé, énorme, fin, long, menu, pointu, proéminent, recourbé, tranchant. *Avoir, posséder un* bec *(+ adjectif)*.

BEIGE clair, crème, délicat, doux, foncé, ivoire, lumineux, mat, neutre, pâle, perlé, prononcé, rosé, sable, sale, terne.

BÉLIER (féminin: **brebis**) agile, gracieux. *Un* bélier *se dresse, s'élance;* (*ses cris*) bêle, blatère.

BÉLUGA (ou **bélouga**) énorme, géant, imposant, trapu. *Admirer, contempler, observer les* bélugas. *Un* béluga *s'amuse, s'échoue.*

BÉNÉFICE énorme, excessif, exorbitant, honteux, malhonnête, mince, modéré, modeste, normal, raisonnable, scandaleux. *Empocher, enregistrer, faire, gagner, obtenir, rapporter, retirer un/des* bénéfice(s). Les bénéfices augmentent, fléchissent, progressent, régressent.

BESOIN accru, constant, criant, désespéré, élémentaire, énorme, important, irrésistible, perpétuel, précis, pressant, primordial, profond, soudain, urgent, violent, vital. *Assouvir, combler, créer, éprouver, manifester, ressentir, satisfaire un* besoin. Un besoin diminue, disparaît, grandit, s'apaise, s'atténue, se fait sentir.

BÊTE affectueuse, agressive, apprivoisée, attachante, brave, calme, craintive, dangereuse, docile, douce, farouche, féroce, fougueuse, frêle, furieuse, gentille, gracieuse, hideuse, indomptable, inoffensive, intelligente, malfaisante, méchante, monstrueuse, obéissante, paresseuse, pataude, racée, rétive, rusée, sauvage, stupide, trapue, vigoureuse, vorace. *Apprivoiser, attraper, élever, nourrir, soigner une* bête.

BÊTISE énorme, exaspérante, grave, impardonnable, inavouable, inimaginable, irréparable, monumentale. *Commettre, dire, écrire, faire, raconter, répondre une* bêtise.

BIBELOT ancien, coûteux, insignifiant, joli, précieux, rare. *Choisir, offrir un* bibelot.

BIBLIOTHÈQUE énorme, fournie, garnie, immense, impressionnante, intéressante, modeste, pauvre, riche, spécialisée. *Arranger, consulter, garnir, ranger une* bibliothèque; *avoir accès à une* bibliothèque; *disposer d'une* bibliothèque.

BICYCLETTE déglinguée, équipée, légère, lourde, neuve, robuste, rouillée, rutilante, vieille. *Conduire, enfourcher, réparer, utiliser une* bicyclette.

BIEN considérable, énorme, incontestable, inestimable, précieux, rare. *Faire, procurer un* bien (*+ adjectif*).

BIJOU délicat, discret, élégant, énorme, faux, magnifique, minuscule, original, précieux, raffiné, scintillant, simple, tape-à-l'œil, unique, véritable, voyant. *Offrir, porter, recevoir un* bijou.

BILLET périmé, valable, valide. *Acheter, composter, émettre, payer, prendre, présenter, valider un/son* billet.

BIOGRAPHIE brève, controversée, détaillée, élogieuse, excellente, flatteuse, intéressante, partiale, passionnante, rigoureuse, romancée, sérieuse. *Écrire, faire, publier, rédiger une* biographie.

BISCUIT croustillant, fin, fondant, fourré, moelleux, sablé, salé, sec, sucré. *Cuire, déguster, fabriquer, grignoter, savourer un/ des* biscuit(s).

BISE affectueuse, amicale, chaleureuse, grosse, légère, petite, rapide, sonore. *Donner, échanger, faire une* bise ; *se faire la* bise.

BLAGUE audacieuse, déplacée, drôle, excellente, facile, grivoise, grossière, marrante, mauvaise, méchante, obscène, raciste, sexiste, stupide, subtile, usée. *Dire, faire, raconter une* blague.

BLANC bleuté, brillant, cassé, crème, douteux, éblouissant, éclatant, franc, grisâtre, immaculé, jaunâtre, jauni, lumineux, mat, net, pur, resplendissant, sale, terne.

BLESSÉ (féminin : **blessée**) conscient, grave, inanimé, inconscient, inerte. *Assister, évacuer, ranimer, secourir, transporter un* blessé. *Un blessé gémit, se plaint.*

BLESSURE cicatrisée, douloureuse, grave, indolore, infectée, insignifiante, légère, mortelle, purulente, sanglante, sérieuse, superficielle, vilaine, vive. *Désinfecter, examiner, guérir, panser, soigner, traiter une* blessure.

BLEU azur, ciel, clair, délavé, doux, éclatant, foncé, gris, gros, indigo, intense, marine, nuit, pâle, pastel, turquoise, vif.

BLOND cendré, châtain, clair, doré, fade, foncé, pâle, platine, terne, vif.

BLOUSE ajustée, ample, courte, décolletée, flottante, large, légère, longue, neuve, serrée, transparente, vaporeuse, vieille. *Enfiler, mettre, porter, revêtir une* blouse.

BLOUSON chaud, confortable, court, défraîchi, élimé, imperméable, léger, long, miteux, neuf, réversible, simple, usé, vieux. *Enfiler, mettre, passer, porter, revêtir un blouson.*

BOCAL énorme, étroit, fragile, glauque, haut, large, léger, lourd, opaque, profond, robuste, transparent, vaste. *Remplir, vider un bocal.*

BŒUF (*viande*) bleu, bouilli, braisé, grillé, saignant. □(*animal*) (féminin: **vache**) agressif, brave, calme, énorme, farouche, furieux, imposant, nerveux, racé, robuste, vigoureux. Un bœuf fonce, piaffe, rumine; (*ses cris*) beugle, meugle, mugit.

BOIS (*forêt*) clairsemé, dense, épais, feuillu, frais, mystérieux, sauvage, silencieux, sombre, touffu. *Errer, marcher dans le bois; traverser un bois.* □(*matériau*) blond, brut, dense, dur, exotique, franc, humide, mou, odorant, pourri, rare, résistant, sain, sec, tendre, tordu, veiné, vermoulu, verni. *Brûler, corder, couper, fendre, ouvrir, ramasser, scier, travailler le/du bois.*

BOISSON amère, aromatisée, brûlante, chaude, désaltérante, douce, effervescente, forte, fraîche, froide, gazeuse, glacée, insipide, naturelle, pétillante, rafraîchissante, saine, savoureuse, tiède. *Consommer, savourer, siroter une boisson.* Une boisson désaltère, enivre, étanche la soif, rafraîchit.

BOÎTE basse, carrée, énorme, étroite, fragile, grande, haute, immense, imposante, légère, longue, lourde, minuscule, pleine, profonde, rectangulaire, robuste, ronde, solide, vide, volumineuse. *Expédier, fermer, ficeler, ouvrir, porter, ranger, remplir, soulever, traîner, transporter une boîte.*

BONBON dur, frais, moelleux, mou, multicolore, savoureux, sucré, tendre. *Avaler, déguster, croquer, offrir un/des bonbon(s).*

BONHEUR court, éphémère, extrême, fragile, immense, inaccessible, inespéré, infini, inoubliable, intense, merveilleux, parfait, permanent, précieux, provisoire, pur, simple, total, tranquille, vrai. *Chercher, connaître, découvrir un bonheur (+ adjectif); goûter, procurer, rencontrer, savourer, souhaiter le bonheur.*

BONJOUR accueillant, aimable, amical, chaleureux, cordial, froid, gentil, rapide, sec.

BOTTE (*s'emploie généralement au pluriel*) avachies, brillantes, confortables, courtes, élégantes, fourrées, grosses, hautes, larges, percées, pointues, propres, sales, superbes. *Cirer, enlever, mettre, ôter, porter des bottes.*

BOUCHE amère, bée, boudeuse, crispée, édentée, empâtée, expressive, moqueuse, pincée, pulpeuse, ricaneuse, sèche, souriante, tendre. *Fermer, ouvrir, se rincer, serrer, s'essuyer la bouche.*

BOUCHON (*d'une carafe*, etc.) étanche, hermétique, lâche, serré, vissé. *Dévisser, enlever, faire sauter, mettre, remettre, retirer, visser un bouchon.* □(*embouteillage*) énorme, gigantesque, important, impressionnant, interminable. *Causer, créer, éviter, occasionner un bouchon.*

BOUE durcie, glissante, gluante, malodorante, molle, ruisselante, séchée. *Enlever la boue; glisser, marcher, patauger, s'empêtrer, tomber dans la boue.*

BOUGIE *Allumer, éteindre, moucher, souffler une bougie.*

BOULEVARD animé, bruyant, désert, élégant, encombré, fleuri, fréquenté, important, large, long, ombragé, prestigieux, rectiligne, sinueux. *Croiser, descendre, emprunter, monter, parcourir, traverser un boulevard.*

BOUQUET élégant, énorme, fané, magnifique, splendide. *Acheter, apporter, composer, cueillir, envoyer, faire, offrir un bouquet.*

BOURGEON cireux, épanoui, fermé, gonflé, jeune, mûr, naissant, ouvert, tendre. *Un bourgeon éclate, éclôt, évolue, fleurit, pousse, se développe, se forme, s'épanouit, s'ouvre, surgit.*

BOUSSOLE exacte, fiable, précieuse, précise, sophistiquée. *Utiliser une boussole; se servir d'une boussole; se fier à une boussole.*

BOUTEILLE élégante, entamée, étroite, fragile, incassable, large, opaque, pleine, transparente, vide. *Boucher, décapsuler, entamer, remplir, terminer, vider, visser une bouteille.*

BOUTIQUE achalandée, alléchante, chic, cossue, élégante, fournie, luxueuse, vaste, vide. *Approvisionner, fermer, gérer, installer, ouvrir, tenir une boutique.*

BOUTON *Actionner, enfoncer, pousser, presser, tourner un bouton; appuyer, cliquer sur un bouton.*

BOXE *Apprendre, pratiquer la boxe; s'initier à la boxe.*

BOXEUR (féminin: **boxeuse**) acharné, agressif, entraîné, excellent, expérimenté, grand, rude, talentueux, usé.

BRANCHE chargée, dépouillée, feuillue, fleurie, flexible, frêle, immense, morte, noueuse, pendante, solide, tordue. *Casser, couper, effeuiller, émonder, plier, tailler une branche.* Une branche cède, craque, fléchit, plie, se rompt.

BRAS agile, ankylosé, engourdi, maigre, mince, musclé, nu, potelé, robuste, tendu, velu. *Allonger, balancer, croiser, écarter, étendre, étirer, fléchir, lever, ouvrir, plier, replier, tendre le/les bras.*

BREBIS chétive, effrayée, égarée, perdue. *Tondre, faire paître les brebis.* Une brebis paît; **(son cri)** bêle.

BRISE caressante, chaude, délicieuse, douce, embaumée, forte, fraîche, froide, légère, matinale, parfumée, rafraîchissante, tiède, vivifiante. La brise fraîchit, se calme, se lève, souffle, tombe.

BRONZAGE cuivré, doré, éclatant, excessif, foncé, immédiat, impressionnant, inégal, intégral, progressif, rapide. *Avoir, obtenir un bronzage (+ adjectif).*

BROUILLARD bas, dense, enveloppant, épais, fin, glacial, humide, intense, léger, obscur, opaque, suspendu. *Disparaître, se perdre, s'orienter dans le brouillard.*

Un brouillard recouvre, s'éclaircit, se dissipe, se lève, s'épaissit, s'intensifie.

BROUILLON détaillé, grossier, illisible, précis, rapide. *Écrire, faire, griffonner, rédiger, relire un brouillon.*

BRUINE épaisse, fine, fraîche, froide, glacée, interminable, légère, matinale, pénétrante, verglaçante. Une bruine crachine, tombe.

BRUIT agaçant, bizarre, clair, confus, désagréable, discret, effroyable, étouffé, étrange, familier, infernal, inhabituel, insolite, intermittent, intolérable, inusité, joyeux, monotone, mystérieux, obsédant, perçant, permanent, plaintif, prolongé, rassurant, sec, strident, terrifiant. *Amortir, distinguer, écouter, émettre, entendre un bruit.* Un bruit cesse, diminue, éclate, persiste, résonne, retentit, s'accentue, s'amplifie, s'apaise, se calme, s'estompe.

BRÛLURE douloureuse, étendue, grave, intense, légère, localisée, profonde, sévère, superficielle. *Ressentir, se faire, soigner, traiter une brûlure.*

BRUN caramel, chocolat, clair, cuivré, foncé, marron, pâle, profond, sale, sombre, terne.

BUREAU (*meuble de travail*) ancien, élégant, encombré, fonctionnel, immense, imposant, large, long, massif, minuscule, rangé, surchargé, vide, vieux. *S'asseoir à un/son* bureau. □(*lieu de travail*) austère, clair, confortable, élégant, fonctionnel, gigantesque, immense, lumineux, luxueux, minuscule, modeste, obscur, propre, sobre, sombre, somptueux, spacieux, vaste. *Aller, se rendre au* bureau; *demeurer, être, passer, recevoir à son* bureau; *entrer, travailler dans un* bureau; *rentrer du* bureau.

BUT (*intention*) absurde, apparent, désintéressé, évident, honnête, inavoué, obscur, précis, primordial, recherché, secret. *Atteindre, avouer, cacher, découvrir, deviner, dissimuler, viser un* but. □(*sport*) contesté, décisif, égalisateur, fulgurant, gagnant, important, litigieux, refusé, spectaculaire. *Accorder, contester, enregistrer, manquer, marquer, rater, refuser, réussir un* but.

C

CACHETTE excellente, idéale, improvisée, introuvable, mauvaise, parfaite, provisoire, secrète, sûre. *Chercher, découvrir, trouver une cachette.*

CADAVRE décapité, déchiqueté, décomposé, défiguré, infect, intact, putréfié. *Découvrir, enterrer, identifier, traîner, trouver un cadavre.*

CADEAU délicat, encombrant, énorme, fabuleux, farfelu, idéal, insignifiant, magnifique, mémorable, minuscule, original, parfait, précieux, raffiné, somptueux, symbolique. *Apprécier, chercher, choisir, déballer, désirer, emballer, offrir, présenter, recevoir, refuser, rendre, trouver un cadeau; combler de cadeaux.*

CADENAS résistant, robuste, solide. *Fracturer, sectionner, verrouiller un cadenas.* Un cadenas cède, résiste.

CADRE doré, énorme, étroit, immense, large, ouvragé, peint, sculpté. *Accrocher, décrocher, fixer un cadre.*

CAFÉ brûlant, faible, fort, froid, fumant, glacé, imbuvable, infect, noir, parfumé, refroidi, savoureux, tiède. *Boire, commander, humer, prendre, préparer, servir, siroter, verser un café.*

CAHIER écorné, énorme, épais, ligné, mince, minuscule, quadrillé, rigide, souple, vierge, volumineux. *Écrire, noter dans un cahier; feuilleter un cahier.*

CAILLOU arrondi, dur, fin, friable, lisse, plat, pointu, poli, poreux, rond, strié.

CAISSE (*conteneur*) encombrante, énorme, fragile, immense, légère, lourde, minuscule, pleine, robuste, vide. *Charger, décharger, expédier, soulever, transporter une caisse.* □(*guichet*) *Faire la queue, passer, payer, se présenter à la caisse.*

CALCUL approximatif, compliqué, difficile, erroné, facile, faux, interminable, juste, long, mauvais, savant, simple. *Effectuer, faire, résoudre un calcul.*

CAMARADE ancien, charmant, fidèle, jeune, nouveau, vieux, vilain, vrai. *Aider, défendre, rencontrer un camarade.*

CAMBRIOLAGE audacieux, mystérieux, parfait, raté, réussi, spectaculaire. *Commettre, effectuer, faire un cambriolage; être victime d'un cambriolage.* Un cambriolage a lieu, se produit.

CAMBRIOLEUR (féminin: **cambrioleuse**) amateur, audacieux, professionnel, redoutable. *Arrêter, poursuivre un cambrioleur.*

CAMION bringuebalant, bruyant, chargé, énorme, neuf, polluant, polyvalent, puissant, robuste, vétuste, vieux. *Charger, conduire un camion; débarquer, descendre d'un camion.*

CAMPAGNE aride, cultivée, dépeuplée, déserte, fertile, fleurie, jolie, monotone, paisible, pauvre, pittoresque, profonde, prospère, reculée, riche, tranquille, vallonnée, verdoyante. *Habiter, parcourir la campagne; rester, se promener, s'installer, vivre à la campagne.*

CAMPING accueillant, aménagé, bondé, calme, confortable, convivial, immense, improvisé, moderne, ombragé, sauvage, superbe. *Aimer, détester, pratiquer le camping; fréquenter, rechercher, réserver un camping.*

CANAL étroit, large, long, mince, navigable, profond, rectiligne, sinueux. *Construire, creuser, franchir, parcourir un canal.*

CANARD (féminin: **cane**) agile, bicolore, dodu, élégant. *Plumer un canard.* Un canard barbotte, patauge; (*ses cris*) cancane, nasille.

CANIF coupant, pointu, tranchant, rouillé. *Affûter, utiliser un canif; se servir d'un canif.*

CANOT (ou **canoë**) étanche, frêle, insubmersible, léger, lourd, neuf, plat, rapide, solide, vieux. *Amarrer, manier, manœuvrer, piloter un canot; embarquer, monter dans un canot; descendre d'un canot; faire du canot.* Un canot accoste, coule, dérive, prend l'eau, se renverse.

CAPACITÉ élevée, étonnante, exceptionnelle, faible, forte, infinie, limitée, moyenne, réduite, restreinte. *Avoir, posséder une capacité (+ adjectif).*

CAPITAINE autoritaire, efficace, enthousiaste, expérimenté, laxiste, sévère, strict.

CAPITALE ancienne, cosmopolite, énorme, historique, immense, populeuse.

CAPRICE extravagant, farfelu, passager, soudain. *Avoir, se permettre des caprices; céder, obéir à un caprice; satisfaire un caprice.*

CAPUCHON ample, chaud, étroit, flottant, serré. *Enlever son capuchon; revêtir un capuchon; se couvrir d'un capuchon.*

CARACTÈRE agréable, agressif, attachant, autoritaire, bohème, changeant, démonstratif, détestable, énergique, enthousiaste, frivole, généreux, instable, jaloux, jovial, joyeux, lunatique, optimiste, orgueilleux, passionné, pessimiste, posé, réservé, sérieux, serviable, sociable, soupçonneux, taquin, tendre, timide, violent. *Avoir, manifester, posséder un caractère (+ adjectif); être, faire preuve d'un caractère (+ adjectif).*

CARAMBOLAGE énorme, gigantesque, grave, meurtrier, monstre, terrible, violent. *Causer, entraîner, provoquer un carambolage; être impliqué dans un carambolage; être victime d'un carambolage.* Un carambolage a lieu, se produit.

CARESSE affectueuse, amicale, amoureuse, délicate, douce, légère, maladroite, tendre. *Donner, échanger, faire, recevoir une caresse.*

CARICATURE amusante, drôle, flatteuse, grotesque, ratée, ressemblante, réussie, spirituelle. *Dessiner, exécuter, faire, réaliser une caricature.*

CARIE douloureuse, grave, importante, invisible, légère, négligée, profonde. *Avoir, détecter, enlever, traiter une carie.* Une carie apparaît, débute, se développe, se forme.

CARNAVAL animé, coloré, endiablé, festif, gigantesque, grandiose, multicolore, populaire, spectaculaire. *Assister, participer à un carnaval; organiser un carnaval.* Un carnaval a lieu, se déroule, se tient.

CARRIÈRE brève, brillante, chaotique, dynamique, exceptionnelle, longue, modeste, précaire, prestigieuse, prometteuse, prospère, remarquable, rémunératrice, réussie, stable, tumultueuse. *Abandonner, accomplir, commencer, interrompre, poursuivre, rater, réussir, terminer une/sa carrière; connaître une carrière (+ adjectif).* Une carrière débute, démarre, s'achève, se termine, s'interrompt.

CARROSSERIE aérodynamique, allongée, arrondie, bombée, effilée, élégante, fuselée, imposante, légère, lourde, massive, unique. *Avoir, offrir, posséder, présenter une carrosserie (+ adjectif).*

CARTE basse, bonne, fausse, haute, maîtresse. *Battre, brasser, couper, distribuer, écarter, étaler, fournir, jeter, jouer, mélanger, mêler, montrer, ramasser, retourner, tenir une/les carte(s); jouer, tricher aux cartes.*

CASQUE gros, léger, lourd, plat, profilé. *Enfoncer, enlever, mettre, ôter, porter, retirer un casque.*

CASQUETTE dure, large, molle, neuve, plate, vieille. *Enfoncer, enlever, mettre, ôter, porter, redresser une casquette.*

CASSE-TÊTE (<u>*problème difficile*</u>) complexe, compliqué, énorme, insoluble, léger, permanent, préoccupant, véritable. *Devenir, être, résoudre un casse-tête.* □ (*jeu*) amusant, compliqué, difficile, facile, intéressant, passionnant, progressif, simple. *Réaliser, réussir un casse-tête.*

CASTOR agile, agressif, calme, industrieux, inoffensif, lourdaud, rapide, robuste, trapu, travailleur. *Attraper un castor.* Un castor construit un barrage, plonge, remonte à la surface.

CATASTROPHE affreuse, horrible, inattendue, inévitable, majeure, prévisible, soudaine, terrible, tragique, traumatisante. *Craindre, déclencher, éviter, provoquer, subir une catastrophe.* Une catastrophe a lieu, arrive, se prépare, survient.

CATHÉDRALE ancienne, austère, célèbre, élégante, grandiose, immense, imposante, magnifique, majestueuse, récente, riche, sombre, somptueuse. *Admirer, construire, ériger, restaurer, visiter une cathédrale; entrer, pénétrer dans une cathédrale.* Une cathédrale se dresse, s'élève.

CAUCHEMAR affreux, angoissant, bref, effroyable, étrange, horrible, insoutenable, interminable, obsédant, terrible, troublant. *Avoir, faire des cauchemars.*

CAUSE directe, étrangère, floue, fondamentale, indiscutable, légitime, lointaine, mystérieuse, obscure, profonde, secrète, sérieuse. *Chercher, comprendre, connaître, découvrir, déterminer, trouver la cause.*

CAVALIER (féminin: **cavalière**) accompli, adroit, doué, émérite, excellent, habile, médiocre, passable, piètre. Un cavalier caracole, enfourche.

CEINTURE courte, étroite, large, longue. *Attacher, boucler, défaire, détacher, nouer, serrer une ceinture.*

CÉLÉBRITÉ (<u>*renommée*</u>) durable, enviée, immense, imméritée, justifiée, instantanée, passagère, soudaine. *Acquérir, avoir, connaître une célébrité (+ adjectif).*

CÉRÉALE (*s'emploie généralement au pluriel*) fades, saines, sucrées, succulentes, savoureuses, variées.

CÉRÉMONIE austère, brève, émouvante, gigantesque, grandiose, impressionnante, interminable, intime, médiatique, modeste, simple, sobre, somptueuse, touchante. *Assister, être présent, inviter, prendre part, procéder à une cérémonie; célébrer, organiser, suivre une cérémonie.* Une cérémonie a lieu, commence, finit, s'achève, se déroule, se termine.

CERF (féminin: **biche**) agile, imposant, élancé, gracieux, jeune, nerveux, tacheté, timide, vieux, vif, vigilant, vigoureux. *Abattre, chasser, poursuivre, traquer un cerf.* Un cerf détale, est aux abois, paît, rumine, trotte; (*son cri*) brame.

CERF-VOLANT énorme, coloré, immense, géant, léger, minuscule. *Fabriquer, lancer, faire voler un cerf-volant.* Un cerf-volant chute, descend, monte, s'élève, s'envole, zigzague.

CERISE amère, dénoyautée, ferme, fraîche, molle, mûre, sucrée, sure. *Cueillir, récolter des cerises.*

CERVEAU agile, borné, ébranlé, endormi, exceptionnel, fatigué, remarquable, supérieur. *Avoir un/le cerveau (+ adjectif).*

CHAGRIN douloureux, immense, inapaisable, inconsolable, inguérissable, léger, lourd, passager, profond, refoulé, sincère, tenace, terrible. *Apaiser, cacher, causer, entretenir, exprimer, noyer, soulager un chagrin.*

CHAHUT épouvantable, étourdissant, horrible, indescriptible, infernal, intolérable, monstre, terrible. *Déclencher, faire, provoquer un chahut.*

CHAÎNE délicate, épaisse, faible, fine, forte, fragile, frêle, lâche, solide, tendue. *Attacher, détacher, détendre, tendre une chaîne.*

CHAISE basse, boiteuse, branlante, confortable, droite, haute, instable, pliante, rembourrée. *Avancer, offrir, prendre, présenter, tirer une chaise.*

CHALET accueillant, chaleureux, confortable, coquet, cossu, délabré, énorme, isolé, luxueux, modeste, ravissant, rudimentaire, rustique, somptueux, spacieux. *Bâtir, construire, habiter, posséder un chalet; séjourner dans un chalet.*

CHALEUR accablante, agréable, anormale, aride, cuisante, douce, écrasante, extrême, humide, infernale, insupportable, intense, intolérable, suffocante, tempérée, terrible, torride, tropicale. Une chaleur augmente, brûle, dessèche, diminue, réchauffe, se dégage, sévit, tombe.

CHALOUPE effilée, étanche, étroite, immense, large, légère, longue, lourde, plate, ventrue. *Ancrer, attacher, détacher, écoper, lancer, manier une* chaloupe; *descendre d'une* chaloupe; *monter dans une* chaloupe. Une chaloupe coule, dérive, échoue, prend l'eau, sombre, tangue.

CHAMBRE accueillante, agréable, claire, climatisée, communicante, confortable, encombrée, ensoleillée, gaie, immense, infecte, luxueuse, modeste, propre, ravissante, sombre, spacieuse. *Louer, nettoyer, ranger, réserver une* chambre.

CHAMEAU (féminin: **chamelle**) capricieux, décharné, doux, famélique, fourbu, hautain, increvable, indocile, patient, rebelle, rétif. *Monter sur un* chameau; *descendre d'un* chameau. Un chameau s'abreuve, se désaltère, s'emballe; (*son cri*) blatère.

CHAMP aride, boisé, caillouteux, détrempé, fertile, stérile, vaste. *Cultiver, ensemencer, labourer, semer un* champ.

CHAMPIGNON comestible, douteux, mortel, rare, toxique, vénéneux. *Cueillir, cultiver, ramasser des* champignons.

CHAMPION (féminin: **championne**) confirmé, défait, imbattable, invaincu, mondial, olympique. *Acclamer, battre, défaire, vaincre un* champion.

CHAMPIONNAT annuel, international, junior, mondial, national, senior. *Disputer, gagner, remporter un* championnat; *participer à un* championnat; *s'entraîner pour un* championnat.

CHANCE dernière, énorme, exceptionnelle, extraordinaire, forte, incroyable, inespérée, inouïe, méritée, mince, minuscule, ratée. *Augmenter, avoir, courir, diminuer, donner, gâcher, garder, guetter, perdre, tenter la/les/sa/ses* chance(s). La chance sourit, tourne.

CHANDAIL ajusté, ample, chaud, confortable, défraîchi, élimé, épais, fatigué, gros, informe, léger, moulant, serré, usé. *Enfiler, mettre, porter, revêtir un* chandail.

CHANDELLE grosse, longue, mince, minuscule. *Allumer, éteindre, moucher, souffler une* chandelle.

CHANGEMENT brusque, brutal, complet, considérable, décisif, fracassant, frappant, graduel, important, imprévisible, inattendu, inespéré, infime, lent, mineur, minime, partiel, perpétuel, prévisible, profond, progressif, rapide, remarquable, rude, spectaculaire, surprenant, total, véritable. *Assister, s'adapter à un* changement*; causer, constater, créer, effectuer, entraîner, observer, subir, vouloir un* changement.

CHANSON calme, douce, drôle, folklorique, gaie, légère, mélancolique, nostalgique, populaire, sentimentale, simple, tendre, triste. *Chanter, composer, écouter, écrire, enregistrer, inventer une* chanson.

CHANTEUR (féminin: **chanteuse**) amateur, célèbre, charmeur, déchaîné, inconnu, mauvais, médiocre, moyen, piètre, populaire, professionnel, renommé, talentueux, virtuose. *Aimer, applaudir, détester un* chanteur.

CHAPEAU enfoncé, évasé, large, mou, plat, pointu, rabattu, rond. *Enfoncer, enlever, mettre son* chapeau*; porter un* chapeau.

CHARME attirant, ensorcelant, envoûtant, fou, indéfinissable, inouï, irrésistible, magique, particulier, subtil, troublant. *Avoir,*

dégager, exercer, posséder, subir un charme *(+ adjectif).*

CHASSE abondante, abusive, bredouille, exceptionnelle, fructueuse, pauvre. *Faire une* chasse *(+ adjectif).*

CHASSEUR (féminin: **chasseuse**) adroit, infatigable, irresponsable, malhabile, passionné.

CHAT (féminin: **chatte**) agile, agressif, bagarreur, câlin, calme, doux, gentil, gracieux, gras, indépendant, indocile, joueur, maigre, méfiant, minuscule, paisible, paresseux, peureux, racé, sociable, sournois, stupide. *Caresser, dresser, flatter, maltraiter, recueillir un* chat. Un chat détale, flaire, gambade, lape, roucoule, se hérisse, se lèche, se pelotonne, se prélasse, s'étire; (**ses cris**) gémit, grogne, miaule, ronronne.

CHÂTEAU abandonné, austère, délabré, élégant, énorme, fortifié, historique, imposant, impressionnant, lugubre, magnifique, prétentieux, ruiné, somptueux, splendide, vaste, vieux. *Construire, détruire, entretenir, habiter, rénover, restaurer, visiter un* château. Un château se dresse, s'élève.

CHÂTIMENT cruel, disproportionné, effroyable, humiliant, injuste, léger, lourd, mérité, révoltant, sévère, terrible. *Échapper à un châtiment; infliger, recevoir, subir un châtiment.*

CHATON adorable, agile, bagarreur, câlin, calme, caressant, charmant, doux, enjoué, farouche, gracieux, hyperactif, peureux. *Amadouer, flatter, recueillir un chaton. Un chaton gambade, s'apprivoise, s'étire, trotte;* (**ses cris**) *gémit, miaule, ronronne.*

CHAUSSÉE accidentée, crevassée, dangereuse, défoncée, étroite, glissante, goudronnée, impeccable, impraticable, mouillée, pavée, raboteuse. *Emprunter, traverser une chaussée; marcher, rouler sur la chaussée.*

CHAUSSETTE (*s'emploie généralement au pluriel*) courtes, épaisses, fines, longues, neuves, percées, propres, sales, trouées, vieilles. *Enfiler, enlever, porter des/ses chaussettes.*

CHAUSSURE (*s'emploie généralement au pluriel*) abîmées, avachies, brillantes, confortables, déformées, élégantes, inusables, légères, lourdes, percées, sales, usées. *Cirer, enfiler, enlever, frotter, mettre des/ses chaussures. Des chaussures blessent, crient.*

CHEF ambitieux, autoritaire, bienveillant, compétent, énergique, estimé, exceptionnel, exigeant, important, juste, respecté. *Désobéir, obéir à un chef; élire, nommer un chef.*

CHEMIN accidenté, ardu, boueux, cahoteux, carrossable, compliqué, crevassé, dangereux, désert, détrempé, direct, entretenu, escarpé, étroit, familier, glissant, impraticable, improvisé, large, ombragé, passant, perdu, périlleux, pittoresque, raboteux, sinueux, sûr. *Construire, emprunter, parcourir, prendre, quitter, suivre un chemin. Un chemin bifurque, descend, grimpe, monte, ondule, se rétrécit, serpente, se sépare.*

CHEMISE ajustée, ample, bouffante, débraillée, élimée, empesée, épaisse, fine, froissée, molle, neuve, pressée, propre, râpée, sale, simple, sobre, transparente, usée, vieille, voyante. *Changer de chemise; enfiler, enlever, mettre, ôter, porter, revêtir une chemise.*

CHÊNE centenaire, creux, droit, gigantesque, majestueux, massif, noueux, puissant, robuste, solide, vigoureux.

CHEVAL (féminin: **jument**) agile, ardent, capricieux, costaud, craintif, docile, doux, effarouché, élancé, élégant, fougueux, fourbu, fringant, fumant, gracieux, increvable, nerveux, noble, obéissant, piaffeur, racé, rebelle, récalcitrant, rétif, robuste, sanglé, sauvage, traître, vigoureux. *Aller, monter à cheval; atteler, brider, brosser, caresser, contrôler, cravacher, diriger, dompter, dresser, enfourcher, entraîner, éperonner, étriller, flatter, maîtriser un cheval.* Un cheval caracole, court, galope, piaffe, regimbe, renâcle, rue, s'ébroue, se cabre, s'emballe, trotte, trottine; (**son cri**) hennit.

CHEVELURE abondante, bouclée, broussailleuse, clairsemée, crépue, ébouriffée, emmêlée, épaisse, étincelante, frisée, frisottée, hérissée, indisciplinée, laquée, lisse, lustrée, nouée, ondulée, plate, raide, ravissante, rebelle, soignée, souple, terne, tombante, vaporeuse. *Brosser, caresser, coiffer, nouer, peigner sa chevelure.*

CHEVEU (*s'emploie généralement au pluriel*) bouclés, bouffants, cassants, crépus, dénoués, ébouriffés, emmêlés, épais, fins, fourchus, fous, fragiles, frisés, frisottés, gras, hérissés, indociles, laineux, lisses, lustrés, ondulés, plaqués, raides, ras, rasés, rebelles, secs, souples, soyeux, teints, ternes, tombants, vigoureux.

Attacher, brosser, coiffer, couper, démêler, ébouriffer, friser, laver, nouer, peigner, relever, teindre les/ses cheveux. Des cheveux bouclent, flottent, ondulent, retombent, se hérissent, s'emmêlent.

CHÈVRE butée, docile, douce, entêtée, indolente, patiente, récalcitrante, rétive. *Traire une chèvre.* (**Ses cris**) béguète, bêle, chevrote.

CHEVREUIL (féminin: **chevrette**) (*s'emploie surtout au Canada*) agile, alerte, élancé, gracieux, imposant, jeune, nerveux, rapide, timide, vif. *Abattre, poursuivre, traquer un chevreuil; chasser le chevreuil.* Un chevreuil détale, paît, rumine, trotte; (**son cri**) brame.

CHIEN (féminin: **chienne**) aboyeur, affectueux, agressif, calme, caressant, craintif, dangereux, démonstratif, désobéissant, docile, doux, enragé, féroce, fidèle, fou, frétillant, furieux, haletant, imprévisible, inoffensif, intelligent, jappeur, joueur, joyeux, obéissant, pantelant, protecteur, racé, sage, sauvage, savant, sociable, soumis, sournois, têtu, vif, vigoureux, vorace. *Agacer, attacher, caresser, détacher, dresser, exciter, maltraiter, museler, siffler, sortir, toiletter un chien.* Un chien flaire, gambade, lape, lèche, renifle, ronge son os, s'ébroue, s'étire, trotte; (*ses cris*) aboie, gémit, grogne, hurle, jappe.

CHIOT aboyeur, adorable, affectueux, amusant, bagarreur, costaud, chétif, craintif, doux, enjoué, hyperactif, mignon, robuste, turbulent. *Acquérir, adopter, dresser, élever un* chiot. Un chiot gambade; (*ses cris*) aboie, glapit, jappe.

CHOC affreux, brutal, dur, énorme, épouvantable, inattendu, léger, profond, rude, sévère, terrible, violent. *Amortir, atténuer, causer, éprouver, éviter, provoquer, recevoir, ressentir, subir un* choc.

CHOCOLAT amer, crémeux, croquant, doux, fin, fondant, fourré, moelleux, onctueux, praliné, pur, riche, sucré, velouté. *Déguster, offrir, savourer un/du* chocolat.

CHOIX (*décision*) ardu, déchirant, décisif, difficile, douloureux, éclairé, étonnant, excellent, facile, forcé, important, intelligent, judicieux, mauvais, pénible. *Approuver, assumer, contester, faire, imposer, influencer un* choix. Un choix se pose, s'impose. ☐(*variété*) abondant, ample, complet, énorme, excellent, illimité, immense, infini, large, maigre, restreint, varié, vaste.

Avoir du choix; *manquer de* choix; *offrir, présenter, proposer un* choix. Un choix existe, s'offre.

CHUTE brutale, fatale, grave, légère, mortelle, sévère, spectaculaire, terrible, vertigineuse. *Amortir, causer, effectuer, éviter, faire, provoquer une* chute.

CICATRICE affreuse, béante, discrète, douloureuse, fine, horrible, importante, large, légère, mince, monstrueuse, sensible, vilaine. *Avoir une* cicatrice (+ *adjectif*); *fermer, porter, soigner une* cicatrice. Une cicatrice saigne, se referme, se rompt, s'ouvre, suinte.

CIEL assombri, brumeux, calme, clair, couvert, dégagé, ensoleillé, étoilé, foncé, incertain, lourd, menaçant, nébuleux, nuageux, orageux, paisible, pluvieux, pur, radieux, resplendissant, rougeoyant, serein, sombre, tourmenté, voilé. *Admirer, contempler, observer, scruter le* ciel. Le ciel étincelle, rougeoie, s'assombrit, s'éclaircit, se couvre, se dégage, se voile, tonne.

CIGALE énorme, malfaisante, mélodieuse, nuisible, stridente. (*Ses cris*) chante, craquette, stridule.

CIGARETTE fine, forte, légère, longue. *Allumer, écraser, éteindre, griller, offrir, prendre une* cigarette.

CIL (*s'emploie généralement au pluriel*) courts, épais, fins, fournis, longs, raides, recourbés, touffus. *Avoir des/les cils (+adjectif); battre des cils.*

CIRCULATION dense, embouteillée, encombrée, fluide, infernale, lente, normale, perturbée, ralentie, rapide, régulière. *Arrêter, bloquer, détourner, faciliter, ralentir, rétablir la circulation.*

CIRQUE acrobatique, ambulant, célèbre, fixe, forain, gigantesque, grandiose, impressionnant, itinérant, stable, voyageur. *Un cirque arrive, se déplace, se produit, s'installe.*

CITROUILLE difforme, énorme, immense, minuscule, mûre. *Cueillir, décorer, sculpter une citrouille.*

CIVILISATION ancienne, avancée, barbare, disparue, éteinte, étrange, évoluée, mystérieuse, prestigieuse, primitive, prospère, raffinée, riche, vivante. *Une civilisation décline, disparaît, meurt, naît, se développe.*

CLAQUE forte, légère, magistrale, mémorable, retentissante, violente, vive. *Administrer, donner, flanquer, recevoir une claque.*

CLASSE (*école*) agitée, amorphe, attentive, bruyante, calme, difficile, disciplinée, dissipée, docile, dynamique, facile, intenable, motivée, passive, rebelle, sérieuse, silencieuse, studieuse, tapageuse, turbulente. *Contrôler, discipliner, motiver une classe.* □(*catégorie sociale*) aisée, basse, dirigeante, haute, inférieure, moyenne, ouvrière, pauvre, privilégiée, riche, supérieure.

CLASSEMENT approximatif, définitif, fiable, général, logique, précis, rigoureux. *Effectuer, faire un classement.*

CLAVIER *Pianoter, taper, tapoter sur un clavier.*

CLÉ (ou **clef**) épaisse, fausse, lourde, minuscule, spéciale, tordue. *Essayer, insérer, introduire, tourner une clé.*

CLIENT (féminin: **cliente**) assidu, difficile, exigeant, facile, fidèle, habituel, hésitant, important, indécis, intraitable, occasionnel, satisfait, sérieux. *Attirer, chasser, contenter, exploiter, fidéliser, satisfaire, séduire un client.*

CLIMAT agréable, aride, chaud, clément, déprimant, désertique, doux, dur, égal, ensoleillé, frais, froid, glacial, hostile, humide, idéal, incertain, instable, maritime, modéré, paradisiaque, pluvieux, pourri, rigoureux, rude, sec, tempéré, torride, varié, venteux. *Bénéficier, jouir, souffrir d'un* climat *(+ adjectif).*

CLIN D'ŒIL amusé, approbateur, chaleureux, complice, discret, léger, rapide. *Décocher, échanger, faire un* clin d'œil.

CLOCHE bruyante, déchaînée, énorme, joyeuse, monumentale, modeste, petite, retentissante, triste. *Actionner, agiter, sonner une* cloche. Une cloche carillonne, frémit, résonne, retentit, se tait, sonne, tinte.

CLÔTURE basse, élevée, faible, forte, grillagée, haute, infranchissable, métallique, solide. *Construire, dresser, édifier, ériger, franchir une* clôture; *entourer d'une* clôture.

CLOU court, fin, gros, long, petit, rouillé, tordu, vieux. *Arracher, cogner, enfoncer, frapper, planter* un clou.

CLOWN amusant, divertissant, doué, maladroit, minable, ridicule, triste. *Applaudir, siffler un* clown.

COCCINELLE ailée, dure, inoffensive, minuscule, nuisible. *Observer une* coccinelle. Une coccinelle grimpe, s'envole, se pose.

COCHON (féminin: **truie**) affamé, agressif, avide, boueux, criard, dodu, énorme, glouton, gras, trapu. *Élever, nourrir des* cochons. Un cochon allaite ses petits, renifle, se vautre dans la boue; (*ses cris*) grogne, grouine.

CŒUR défaillant, excellent, faible, fatigué, fort, fragile, malade, robuste, solide. *Ménager, surmener son* cœur.

COIFFURE bouclée, coquette, courte, crépue, désordonnée, ébouriffée, élégante, excentrique, frisée, frisottée, gonflante, haute, lisse, longue, négligée, nouée, ondulée, originale, plate, raide, relevée, sévère, simple, somptueuse, vaporeuse. *Adopter, faire, fignoler une* coiffure.

COLÈRE aveugle, démesurée, épouvantable, feinte, folle, inapaisable, justifiée, modérée, muette, noire, profonde, refoulée, terrible, véritable, violente. *Apaiser, calmer, déclencher, provoquer, refouler la/sa* colère. Une colère éclate, explose, monte, se calme.

COLIS encombrant, énorme, léger, lourd, minuscule, volumineux. *Adresser, envoyer, expédier, ouvrir, poster, recevoir un* colis.

COLLATION copieuse, exquise, généreuse, légère, lourde, rapide, savoureuse, substantielle, succulente. *Apporter, offrir, partager, prendre, préparer, savourer, servir une collation.*

COLLE épaisse, forte, gluante, liquide, pâteuse, tenace, visqueuse. *Appliquer de la colle; badigeonner, enduire de colle.*

COLLECTION complète, dépareillée, exceptionnelle, fabuleuse, gigantesque, impressionnante, magnifique, modeste, précieuse, prestigieuse, rare, remarquable, riche, spectaculaire, unique. *Commencer, compléter, disperser, enrichir, exposer, réunir une collection.*

COLLECTIONNEUR (féminin: **collectionneuse**) acharné, enragé, enthousiaste, infatigable, insatiable, passionné.

COLLIER court, délicat, discret, élégant, énorme, faux, long, lourd, luxueux, magnifique, original, précieux, raffiné, riche, scintillant, simple, somptueux, voyant. *Acheter, offrir, porter, recevoir un collier.*

COLLINE abrupte, aride, arrondie, boisée, douce, lointaine, ombragée, ondulée. *Grimper, monter une colline.* Une colline domine, se dresse, s'élève.

COLLISION dramatique, fatale, grave, horrible, inévitable, légère, mortelle, stupide, tragique, violente. *Causer, éviter, occasionner, provoquer une collision.* Une collision a lieu, arrive, se produit, survient.

COMBAT acharné, court, courageux, décisif, déloyal, désespéré, difficile, dur, énorme, facile, horrible, long, loyal, mémorable, permanent, serré, ultime, violent. *Commencer, déclencher, faire cesser, gagner, livrer, perdre, refuser, remporter un combat.* Un combat commence, éclate, perdure, s'achève, se déclenche, s'engage, s'envenime, se termine.

COMÉDIE amusante, complexe, débile, délicieuse, divertissante, endiablée, grossière, intelligente, légère, mauvaise, piètre, ratée, réussie, savoureuse, simple. *Écrire, interpréter, jouer, mettre en scène, produire une comédie.*

COMÉDIEN (féminin: **comédienne**) célèbre, chevronné, excellent, mauvais, minable, modeste, moyen, piètre, polyvalent, populaire, raté, remarquable, renommé. *Acclamer, applaudir, critiquer, siffler un comédien.*

COMMERCE florissant, lucratif, prospère, spécialisé. Un commerce grandit, périclite, prospère.

COMMODE dégagée, élégante, encombrée, imposante, massive, surchargée.

COMPAGNIE (*entourage*) agréable, appréciée, encombrante, ennuyeuse, idéale, joyeuse, précieuse. *Aimer, apprécier, rechercher la* compagnie. □ (*société*) dynamique, florissante, grande, importante, moderne, modeste, performante, prospère, spécialisée. *Diriger, fonder, gérer une* compagnie. Une compagnie démarre, dépérit, périclite, prospère.

COMPAGNON (féminin : **compagne**) attachant, brave, dévoué, fidèle, idéal, indispensable, inséparable, jeune, joyeux, loyal, précieux, vieux.

COMPARAISON absurde, adéquate, boiteuse, faible, flatteuse, inappropriée, juste, originale, valable. *Établir, faire, trouver une* comparaison.

COMPÉTITION acharnée, dure, effrénée, équitable, féroce, forte, loyale, rude, serrée, sévère, vive. *Livrer une* compétition *(+ adjectif); organiser une* compétition *; participer, renoncer à une* compétition.

COMPLIMENT affectueux, chaleureux, entortillé, exagéré, flatteur, hypocrite, magnifique, maladroit, mérité, simple, sincère. *Accepter, adresser, faire, recevoir un/des* compliment(s).

COMPORTEMENT agressif, bizarre, courageux, déplorable, effronté, étrange, exemplaire, héroïque, inacceptable, inexplicable, inquiétant, intolérable, irréprochable, irrespectueux, responsable, stupide, suspect, sympathique. *Adopter, afficher, avoir, prendre, présenter un* comportement *(+ adjectif); étudier, observer un/ son* comportement.

CONCERT agréable, bref, divertissant, ennuyeux, grandiose, impressionnant, improvisé, interminable, long, médiocre, minable, piètre, sublime. *Apprécier, diriger, donner, offrir, organiser un* concert *; assister, participer, se rendre à un* concert. Un concert a lieu, se déroule, se tient.

CONCOURS célèbre, convoité, couru, important, populaire, prestigieux. *Échouer, participer, s'inscrire, tricher à un* concours *; gagner, remporter, rater, réussir un* concours.

CONCURRENCE acharnée, agressive, déloyale, féroce, forte, redoutable, saine, sauvage, sévère, stimulante, terrible, vive. *Pratiquer, se livrer, subir une concurrence (+ adjectif).*

CONFIDENCE agréable, bouleversante, étonnante, étrange, inattendue, intime, simple, sincère, terrible, touchante, triste. *Arracher, attirer, échanger, recevoir, trahir une/des* confidence(s).

CONFITURE acidulée, amère, délectable, épaisse, fine, fruitée, gélatineuse, gourmande, légère, onctueuse, raffinée, succulente, sucrée, veloutée. *Étaler, étendre, déguster, faire, préparer, savourer de la* confiture.

CONFORT douillet, inouï, luxueux, modeste, parfait, raffiné, réel, rudimentaire, total. *Aimer, rechercher le/son* confort.

CONGÉ exceptionnel, long, mérité, permanent, prolongé, spécial, temporaire. *Accorder, demander, obtenir, prendre, refuser un* congé.

CONNAISSANCE approfondie, approximative, détaillée, évidente, exacte, générale, impressionnante, insuffisante, juste, nécessaire, passable, piètre, poussée, précise, profonde, sérieuse, solide, vague, vaste. *Acquérir, appro-*

fondir, développer, élargir, enrichir ses connaissances; avoir, posséder une/des connaissance(s) (+ adjectif).*

CONSEIL amical, attentionné, charitable, erroné, excellent, important, inutile, judicieux, pratique, précieux, rassurant, sincère, utile. *Accepter, demander, donner, écouter, recevoir, rejeter un* conseil.

CONSÉQUENCE bénéfique, catastrophique, désagréable, désastreuse, énorme, faible, grave, imprévue, inattendue, lourde, négative, positive, possible, prévue, terrible, tragique, triste, troublante. *Admettre, amener, comporter, craindre, envisager, éviter, prévoir, subir une/des* conséquence(s).

CONSOMMATION abusive, anormale, courante, croissante, diversifiée, énorme, exagérée, excessive, faible, forte, modérée, raisonnable, réduite, régulière. *Faire une* consommation (+ adjectif).

CONTACT doux, dur, granuleux, léger, rapide, rugueux, soyeux, velouté, visqueux.

CONTE amusant, bref, captivant, comique, divertissant, drôle, ennuyeux, fabuleux, intéressant, long, macabre, merveilleux, passionnant, touchant, tragique, triste. *Écouter, inventer, lire, réciter un* conte.

CONVERSATION agréable, amicale, amusante, animée, banale, brève, calme, cordiale, courte, décousue, détendue, ennuyeuse, franche, intelligente, intéressante, interminable, longue, monotone, orageuse, passionnante, sérieuse, tendue, vive. *Accaparer, déclencher, détourner, écouter, engager, faire dévier, interrompre la/une* conversation; *avoir une* conversation *(+ adjectif).* Une conversation débute, languit, se prolonge, s'éternise, se termine.

COPAIN (féminin: **copine**) ancien, dévoué, fidèle, influent, loyal, meilleur, parfait, précieux, sincère, vieux. *Aider, perdre, posséder, rencontrer, se faire un* copain; *se brouiller, se disputer avec un* copain.

COPIE conforme, correcte, exacte, faible, fidèle, habile, maladroite, mauvaise, pâle, piètre, ressemblante, réussie.

COQ (féminin: **poule**) bruyant, exotique, fier, lourd, robuste. Un coq bat des ailes, picore, sautille; (*ses cris*) caquette, chante.

CORBEAU bruyant, énorme, rapace, vorace. Un corbeau bat des ailes, lisse ses plumes, plane, plonge, s'envole, se perche, voltige; (*son cri*) croasse.

CORDE fine, forte, grosse, lâche, longue, mince, raide, résistante, solide, souple, tendue. *Attacher avec une* corde; *dénouer, nouer, relâcher, serrer, tendre, tirer, tresser une* corde.

CORNE (*s'emploie généralement au pluriel*) courbes, courtes, dangereuses, droites, dures, effilées, enroulées, étroites, fines, fortes, grosses, imposantes, longues, menaçantes, pointues, recourbées, torsadées. *Avoir, porter des* cornes; *secouer ses* cornes.

CORPS (*anatomie*) agile, amaigri, anorexique, athlétique, déformé, dodu, élancé, enrobé, ferme, informe, maigre, mince, mou, musclé, obèse, potelé, proportionné, raide, robuste, sain, souple, trapu, vieilli, voûté. *Avoir, posséder un* corps *(+ adjectif); développer, incliner, redresser son* corps. □(*cadavre*) déchiqueté, défiguré, ensanglanté, inanimé, inerte, meurtri, mort, mutilé. *Embaumer, ensevelir, enterrer, incinérer, rapatrier un* corps.

CORRIDOR désert, encombré, étroit, interminable, long, obscur, sinueux, sombre, vaste. *Emprunter, prendre, suivre, traverser un* corridor*; s'engager dans un* corridor.

CORTÈGE brillant, bruyant, coloré, grandiose, interminable, joyeux, lent, long, majestueux, rapide, silencieux, somptueux, triomphal, tumultueux. *Former, organiser, ouvrir, suivre un* cortège*; participer, se joindre, se mêler à un* cortège.

COSTUME ajusté, ample, clair, classique, confortable, défraîchi, démodé, discret, éblouissant, élégant, élimé, foncé, froissé, impeccable, luxueux, misérable, miteux, neuf, original, recherché, ridicule, sale, seyant, simple, soigné, sombre, strict, usagé, usé, vieux. *Enfiler, enlever, essayer, porter, revêtir un* costume*; se revêtir d'un* costume. Un costume convient, moule, serre.

COU allongé, délicat, droit, élancé, épais, fin, flexible, gracieux, gras, long, maigre, mince, potelé, raide, rentré, robuste, souple. *Allonger, courber, incliner, se tordre le* cou.

COUCHER DE SOLEIL féerique, flamboyant, somptueux, spectaculaire, splendide, sublime, superbe. *Admirer, contempler un* coucher de soleil.

COULEUR agressive, chaude, choquante, dégradée, délavée, délicate, douce, éclatante, effacée, étincelante, fanée, foncée, froide, gaie, horrible, lumineuse, neutre, pâle, prédominante, ravissante, sobre, sombre, tendre, terne, triste, voyante. *Être d'une* couleur *(+ adjectif).*

COULOIR désert, encombré, étroit, interminable, long, obscur, sinueux, sombre, vaste. *Arpenter, emprunter, prendre, suivre, traverser un* couloir.

COUP DE POING brusque, énergique, faible, ferme, fort, léger, puissant, solide. *Donner, envoyer, lancer, recevoir, rendre un* coup de poing.

COUPLE amoureux, assorti, brisé, charmant, enviable, fidèle, fragile, heureux, idéal, inséparable, normal, parfait, sympathique, uni. *Désunir, former, réconcilier, unir un* couple. Un couple se déchire, se forme, se sépare, s'unit.

COUPURE banale, béante, grave, importante, large, légère, profonde, sanglante, superficielle. *Désinfecter, se faire, guérir, soigner, traiter une* coupure. Une coupure guérit, saigne, se cicatrise, s'infecte.

COUR clôturée, ensoleillée, entretenue, fleurie, immense, minuscule, modeste, pavée, paysagée, sombre, spacieuse, vaste. *Entretenir, nettoyer, traverser une cour.*

COURAGE admirable, authentique, chancelant, exceptionnel, extrême, formidable, fou, grand, héroïque, immense, incroyable, rare, remarquable, sincère, vrai. *Avoir, manifester, montrer un courage (+ adjectif); faire preuve d'un courage (+ adjectif).* Un courage s'affaiblit, se raffermit, se relâche, se ranime.

COURRIEL *Adresser, diffuser, envoyer, expédier, faire parvenir, imprimer, lire, ouvrir, recevoir, rédiger, transmettre un courriel; répondre à un courriel.*

COURS avancé, captivant, débutant, ennuyeux, exceptionnel, fondamental, instructif, intéressant, intermédiaire, interminable, monotone, passionnant, sérieux. *Donner, manquer, prendre, préparer, recevoir, sécher, suivre un cours.* Un cours commence, débute, se termine, s'éternise, prend fin.

COÛT avantageux, dérisoire, élevé, énorme, exagéré, exceptionnel, exorbitant, faible, faramineux, global, modéré, modique, moyen, raisonnable, réduit, total. *Augmenter, entraîner, occasionner, représenter un coût (+ adjectif); baisser, calculer, déterminer, réduire le/les coût(s).*

COUTEAU ébréché, effilé, émoussé, fin, gros, long, mince, pointu, tranchant. *Affûter, aiguiser, brandir un couteau; se servir d'un couteau.* Un couteau coupe, tranche.

COUTUME abandonnée, ancienne, ancrée, barbare, bizarre, courante, désuète, disparue, établie, étrange, perdue, récente, respectable, ridicule, solide, tenace. *Abandonner, conserver, introduire, maintenir, observer, pratiquer, préserver une coutume.* Une coutume disparaît, persiste, se perpétue, se répand, s'établit, s'introduit.

COUVERCLE étanche, hermétique, résistant, sécuritaire, transparent. *Fermer, visser, ouvrir, sceller un couvercle.*

COUVERTURE confortable, douce, épaisse, chaude, mince, moelleuse, piquante. *Rejeter, soulever la/les couverture(s); s'enrouler dans une couverture; s'entourer d'une couverture.*

CRAIE douce, dure, fine, friable, grasse, tendre. Une craie casse, crisse, s'effrite.

CRAINTE absurde, affreuse, confuse, entretenue, épouvantable, exagérée, forte, imaginaire, incompréhensible, justifiée, légère, maladive, obscure, paralysante, passagère, persistante, profonde, tenace, terrible, vague. *Cacher, calmer, causer, éprouver, exprimer, partager, ressentir, surmonter de la/sa/ses crainte(s).* Une crainte augmente, persiste, règne, s'apaise, s'installe, s'intensifie.

CRAPAUD affreux, effrayant, hideux, immonde, monstrueux, pustuleux, repoussant, répugnant, rugueux, visqueux. Un crapaud saute, sautille ; (*son cri*) coasse.

CRAVATE bigarrée, épaisse, étroite, horrible, large, mince, molle, ridicule, sobre, unie, voyante. *Ajuster, défaire, desserrer, nouer, ôter, porter une cravate ; retirer sa cravate.*

CRAYON court, effilé, fin, gras, gros, long, neuf, pointu, sec, vieux. *Affûter, épointer, mâchonner, manier, tailler, tenir un crayon.*

CRÈME démaquillante, douce, épaisse, fine, grasse, hydratante, légère, onctueuse, rajeunissante, riche, veloutée. *Appliquer une crème ; se frotter, s'enduire de crème.*

CRÊPE épaisse, fine, flambée, fourrée, garnie, légère, lourde, mince, ratée, salée, savoureuse, sucrée. *Faire, préparer une crêpe.*

CRÉPUSCULE blême, brillant, brumeux, doux, frais, glacial, naissant, sombre. Le crépuscule arrive, décline, descend, monte, naît, se lève.

CRI affreux, aigu, angoissé, apeuré, déchirant, désespéré, effroyable, étouffé, faible, furieux, horrible, involontaire, joyeux, léger, long, perçant, persistant, puissant, rageur, rauque, saccadé, terrifiant, timide, violent. *Émettre, entendre, laisser échapper, lancer, pousser, retenir un cri.* Un cri jaillit, monte, résonne, retentit, s'élève.

CRIME abominable, atroce, barbare, effroyable, épouvantable, gratuit, impardonnable, monstrueux, mystérieux, parfait, passionnel, sordide. *Avouer, commettre, comploter, dénoncer, élucider, nier, planifier, préméditer, punir, résoudre un crime.*

CRINIÈRE abondante, brillante, courte, ébouriffée, énorme, épaisse, flamboyante, flottante, fournie, frisée, hérissée, large, lisse, longue, lourde, magnifique, majestueuse, ondulée, rebelle, rude, soyeuse, splendide, superbe. *Avoir, posséder une crinière*

(+ adjectif); brosser, peigner, tondre une crinière; *secouer sa* crinière.

CRITIQUE amère, chaleureuse, cinglante, constructive, dure, élogieuse, enthousiaste, favorable, féroce, fondée, impartiale, juste, louangeuse, malhonnête, méchante, négative, nuancée, polie, positive, rude, stupide, unanime, vexante. *Adresser, faire, formuler, lancer, s'attirer une/des* critique(s); *répliquer, s'exposer à une* critique.

CROCODILE affreux, agressif, dangereux, énorme, féroce, gourmand, horrible, inerte, inoffensif, monstrueux, nonchalant, paisible, rampant, redoutable, sournois, terrible, vorace. Un crocodile dévore sa proie, nage, plonge, remonte à la surface, se débat; *(son cri)* vagit.

CROISIÈRE agréable, coûteuse, décevante, ennuyeuse, extravagante, longue, luxueuse, magnifique, merveilleuse, mouvementée, paisible, paradisiaque, reposante, somptueuse, sublime, superbe, tranquille. *Effectuer, faire, projeter, réserver, se payer, s'offrir une* croisière; *partir en* croisière.

CROISSANCE anormale, brusque, équilibrée, exceptionnelle, extraordinaire, faible, forte, harmo-nieuse, hâtive, lente, précoce, ralentie, rapide, spectaculaire, stable. *Accélérer, arrêter, favoriser, freiner, ralentir, stimuler la* croissance; *être en pleine* croissance.

CUISSE (*s'emploie généralement au pluriel*) arquées, charnues, courtes, délicates, énormes, fermes, fortes, galbées, grasses, grosses, légères, longues, maigres, menues, minces, musclées, potelées, puissantes, rachitiques, solides, superbes, velues, volumineuses. *Avoir des* cuisses *(+ adjectif).*

CULBUTE audacieuse, dangereuse, difficile, facile, spectaculaire. *Accomplir, effectuer, exécuter, rater, réussir une* culbute.

CULTURE (*connaissances, savoir*) diverse, élémentaire, étendue, exceptionnelle, générale, grande, immense, large, livresque, populaire, raffinée, riche, rudimentaire, sommaire, vaste. *Acquérir, avoir, posséder une* culture *(+ adjectif); développer, encourager, enrichir, favoriser, promouvoir la* culture. □ (*agriculture*) artisanale, biologique, florissante, industrielle, intensive, mécanisée, prospère, rapide, traditionnelle. *Défendre, pratiquer, promouvoir, prôner une* culture *(+ adjectif).* La culture se développe, se répand.

CYGNE élégant, féroce, gracieux, majestueux, paisible. Un cygne attaque, bat l'air de ses ailes, lisse ses plumes, nage, s'ébroue; (_ses cris_) siffle, trompette.

D

DANGER accru, calculé, élevé, énorme, évident, évitable, grave, important, majeur, menaçant, mineur, permanent, prévisible, réel, sérieux, véritable. *Comporter, courir, devenir, éviter, prévenir, prévoir, représenter, signaler un danger.* Un danger apparaît, diminue, existe, guette, menace, persiste, plane, surgit.

DANSE compliquée, bizarre, dynamique, élégante, endiablée, enlevée, envoûtante, exotique, gracieuse, joyeuse, langoureuse, légère, populaire, ridicule, rythmée, sentimentale, simple, spectaculaire, survoltée, tourbillonnante, vive. *Apprendre, connaître, danser, effectuer, entamer, exécuter, improviser une danse.* Une danse commence, languit, reprend, se termine, s'éternise.

DANSEUR (féminin : **danseuse**) agile, célèbre, débutant, élégant, excellent, exceptionnel, gracieux, inexpérimenté, infatigable, médiocre, passable, piètre, remarquable, souple, virtuose. Un danseur exécute un pas de danse, ondule, se trémousse, tourbillonne, virevolte.

DATE approximative, capitale, convenue, courante, décisive, ferme, fixe, importante, limite, mémorable, officielle, possible, précise, prévue, promise, réaliste, ultime. *Annoncer, choisir, déterminer, donner, fixer, indiquer, oublier, proposer, reporter, réserver, retenir, suggérer, trouver une date.* Une date approche, recule.

DAUPHIN acrobatique, adorable, affectueux, curieux, domestiqué, gai, gentil, rieur. *Applaudir, apprivoiser, dresser, observer des dauphins.*

DÉBUT chaotique, décevant, difficile, éclatant, encourageant, facile, hésitant, modeste, prometteur, simple. *Faire, rater, réussir ses débuts.*

DÉCHET (*s'emploie généralement au pluriel*) dangereux, dégradables, encombrants, polluants, propres, recyclables, secs, souillés, toxiques. *Éliminer, enfouir, jeter, produire, recycler, réduire, réutiliser, traiter, trier des déchets.*

DÉCHIRURE énorme, importante, légère, longue, minuscule, vilaine. *Faire, raccommoder, recoudre, réparer une déchirure.*

DÉCISION absurde, bouleversante, concrète, courageuse, cruelle, déchirante, définitive, dure, éclairée, équilibrée, facile, grave, importante, pénible, prématurée, rapide, réfléchie, sage, urgente. *Annoncer, appuyer, approuver, exprimer, influencer, justifier, prendre, rejeter, reporter, respecter une décision.*

DÉCOLLAGE brusque, doux, forcé, impressionnant, laborieux, mouvementé, normal, parfait, périlleux, raté, réussi, spectaculaire. *Effectuer, exécuter, faire, rater, réaliser, réussir un décollage.*

DÉCORATION austère, chaleureuse, chargée, dépouillée, élégante, fade, féerique, froide, gaie, harmonieuse, modeste, originale, raffinée, recherchée, riche, sobre, sommaire, somptueuse. *Changer, effectuer, rénover une/la décoration de (un appartement, etc.).*

DÉCOUVERTE brillante, capitale, désagréable, étonnante, étrange, fondamentale, formidable, géniale, importante, inouïe, majeure, précieuse, récente, révolutionnaire, spectaculaire, surprenante, terrible, troublante, utile. *Annoncer, faire, réaliser, réussir une découverte.*

DÉFAITE cinglante, cuisante, douloureuse, dramatique, écrasante, foudroyante, humiliante, inattendue, inévitable, lamentable, mémorable, prévisible, surprenante, terrible, totale. *Assumer, causer, connaître, enregistrer, éviter, prévoir, subir une défaite.*

DÉFAUT apparent, caché, énorme, évident, frappant, grave, incorrigible, inquiétant, insupportable, majeur, mineur, préoccupant, regrettable, sérieux, vilain. *Constater, découvrir, excuser, masquer, observer, tolérer, trouver un défaut.*

DÉFENSE acharnée, courageuse, désespérée, efficace, faible, féroce, légitime, longue, méthodique, rigoureuse, rude, tenace, victorieuse. *Assurer, prendre, tenter une défense.*

DÉFI ambitieux, audacieux, courageux, exigeant, important, impossible, léger, lourd, réaliste, sérieux, stimulant, téméraire. *Lancer, rater, relever, réussir un défi.*

DÉFILÉ coloré, élégant, immense, interminable, joyeux, long, officiel, silencieux, somptueux, spectaculaire, traditionnel, triomphal. *Observer, organiser, suivre un défilé ; participer, se mêler à un défilé.* Un défilé grossit, s'ébranle, se forme, se met en marche, se prépare, se sépare, s'étire, s'organise.

DÉGÂT considérable, effroyable, étendu, grave, important, inestimable, insignifiant, irréparable, léger, lourd, minime, modéré, ruineux, sérieux, spectaculaire, terrible. *Causer, commettre, constater, essuyer, évaluer, faire, occasionner, réparer, subir un/des dégât(s).*

DÉJEUNER abondant, chaud, complet, consistant, copieux, excellent, exquis, froid, gastronomique, gourmand, infect, modeste, rapide, simple, soigné, sommaire, somptueux, succulent, tardif. *Convier, inviter à un déjeuner; déguster, improviser, offrir, partager, prendre, savourer, servir un/le déjeuner.*

DEMANDE audacieuse, banale, compliquée, délicate, déraisonnable, directe, embarrassante, fructueuse, humiliante, importante, inacceptable, insistante, obstinée, osée, précise, pressante, respectueuse, simple, sotte, urgente. *Accepter, accorder, adresser, déposer, étudier, examiner, exprimer, faire, formuler, refuser, rejeter, soumettre, transmettre une demande.*

DÉMARCHE agile, assurée, chancelante, claudicante, digne, élégante, fière, gracieuse, légère, majestueuse, naturelle, nonchalante, paresseuse, pataude, raide, rapide, rythmée, sautillante, souple, titubante, traînante, vacillante, voûtée, zigzagante.

DÉMARRAGE aisé, assuré, délicat, difficile, doux, facile, impeccable, laborieux, pénible, spectaculaire, spontané, sûr. *Assurer, garantir, offrir, permettre un démarrage (+ adjectif).*

DEMEURE agréable, charmante, confortable, coquette, cossue, décrépite, élégante, fastueuse, grandiose, hospitalière, humble, immense, imposante, luxueuse, majestueuse, pimpante, prétentieuse, sévère, somptueuse, spacieuse, splendide.

DENT abîmée, absente, branlante, cariée, ébréchée, pourrie, saine, sensible; (*s'emploie généralement au pluriel*) blanches, courtes, éblouissantes, écartées, éclatantes, espacées, étincelantes, fraîches, irrégulières, jaunes, larges, longues, noires, parfaites, propres, splendides, superbes, vilaines. *Arracher, extraire, perdre, plomber une dent; se brosser, se laver, se nettoyer, se rincer les dents. Une dent bouge, branle, perce, pousse, remue; des dents claquent, grincent, s'entrechoquent.*

DÉPART anticipé, définitif, discret, faux, forcé, fracassant, immédiat, imprévu, inattendu, massif, mystérieux, précipité, précoce, rapide, retardé, spectaculaire, volontaire. *Annoncer, avancer, fixer, précipiter, remettre, retarder un/son départ.*

DÉPENSE élevée, énorme, exagérée, exorbitante, extravagante, folle, importante, imprévue, inévitable, insensée, inutile, minime, nécessaire, raisonnable, superflue, utile. *Augmenter, contrôler, diminuer, limiter, modérer, multiplier, réduire, surveiller la/les/ses dépense(s); calculer, défrayer, entraîner, évaluer, faire, nécessiter, occasionner, rembourser une/des dépense(s).*

DÉSAVANTAGE certain, énorme, évident, important, léger, majeur, mineur, sérieux. *Avoir, comporter, présenter un désavantage (+ adjectif).*

DESCENTE aisée, chaotique, courte, dangereuse, douce, droite, facile, faible, forte, hasardeuse, légère, lente, longue, périlleuse, raide, rapide, sinueuse, superbe, vertigineuse. *Effectuer, entamer, exécuter une descente.*

DESCRIPTION adéquate, approximative, banale, claire, colorée, complète, courte, détaillée, erronée, exacte, excellente, imagée, intéressante, juste, longue, minutieuse, monotone, précise, réaliste, ressemblante, sommaire, vague, vraisemblable. *Donner, faire une description.*

DÉSERT aride, brûlant, immense, infini, luxuriant, sablonneux, torride, vaste. *Errer dans un désert; traverser un désert.*

DÉSIR ardent, brûlant, comblé, constant, désespéré, dissimulé, faible, féroce, fou, intense, obsédant, précis, profond, secret, sincère, spontané, vague. *Apaiser, assouvir, caresser, éprouver, exaucer, exprimer, freiner, refouler, satisfaire un désir.* Un désir croît, grandit, monte, naît, s'atténue, s'éteint.

DÉSORDRE certain, complet, épouvantable, extrême, indescriptible, inimaginable, léger, parfait, permanent, savant, total. *Être, mettre en désordre.*

DESSERT appétissant, compliqué, consistant, copieux, délicat, délicieux, élaboré, excellent, exotique, exquis, favori, fin, léger, lourd, manqué, onctueux, raffiné, réussi, savoureux, simple, somptueux, sublime, succulent, velouté. *Confectionner, cuisiner, déguster, faire, manger, offrir, prendre, réaliser, savourer un dessert.*

DESSIN abstrait, affreux, amusant, approximatif, élégant, exact, grossier, ingénieux, minutieux, naïf, original, précis, rapide, réaliste, réussi, soigné, sommaire, superbe. *Ébaucher, exécuter, faire, fignoler, réaliser, retoucher, tracer un* dessin.

DETTE accumulée, colossale, considérable, échue, écrasante, élevée, énorme, exorbitante, faible, légère, lourde, minime, modeste, réduite. *Acquitter, avoir, contracter, éponger, payer, réduire, régler, rembourser, remettre une* dette. Une dette augmente, diminue, grimpe, s'aggrave, s'alourdit, s'éteint.

DEVOIR ardu, court, impeccable, long, passable. *Corriger, donner, faire, finir, réaliser, remettre, rendre, soigner, terminer un* devoir.

DICTIONNAIRE énorme, épais, illustré, mince, volumineux. *Consulter, feuilleter, utiliser un* dictionnaire.

DIÈTE amaigrissante, équilibrée, rigoureuse, saine, sévère, stricte. *Commencer, observer, recommander, suivre une* diète*; être, se mettre à la* diète.

DIFFÉRENCE énorme, évidente, faible, immense, importante, infime, majeure, mineure, minime, nette, prononcée, radicale, réelle, remarquable, sensible, sérieuse, subtile. *Accentuer, apercevoir, constater, marquer, observer, réduire, sentir, trouver, voir une* différence.

DIFFICULTÉ angoissante, banale, énorme, grave, importante, inattendue, inévitable, infranchissable, insoluble, insurmontable, légère, majeure, mineure, momentanée, permanente, pressante, profonde, réelle. *Affronter, aggraver, alléger, avoir, causer, contourner, créer, éviter, gérer, fuir, occasionner, surmonter une/des* difficulté(s).

DÎNER abondant, agréable, chic, copieux, excellent, exceptionnel, exquis, fastueux, fin, gastronomique, infect, irréprochable, modeste, passable, raffiné, raté, réussi, savoureux, simple, soigné, sommaire, somptueux, succulent. *Achever, attaquer, déguster, donner, improviser, offrir, partager, préparer, savourer, servir un* dîner.

DINOSAURE effrayant, féroce, géant, gigantesque, immense, inoffensif, millénaire, monstrueux, paisible, sanguinaire.

DISCIPLINE contraignante, dure, excessive, exemplaire, inhumaine, modérée, relâchée, rigide, rigoureuse, rude, sévère, souple, stricte. *Être rebelle/soumis, obéir à une* *discipline; imposer, infliger, maintenir, resserrer, subir, suivre une discipline.*

DISCOURS admirable, amusant, assommant, bref, clair, convaincant, décousu, dur, émouvant, endormant, énergique, entortillé, excellent, imagé, improvisé, intelligent, long, monotone, passionné, remarquable, savant, sérieux, simple, touchant. *Adresser, commencer, composer, conclure, écourter, écouter, faire, improviser, préparer, prononcer, tenir, terminer un discours.*

DISCUSSION agréable, amicale, animée, banale, brève, calme, chaude, courte, décousue, détendue, fructueuse, intéressante, interminable, mouvementée, paisible, passionnante, pénible, ridicule, sérieuse, tendue, vague, vive. *Aborder, alimenter, animer, clore, déclencher, engager, entamer, éviter, interrompre, lancer, prolonger, provoquer, trancher une discussion.* Une discussion dégénère, rebondit, s'anime, s'égare, s'engage, s'envenime, s'éternise, traîne.

DISPUTE acharnée, courte, farouche, interminable, légère, longue, occasionnelle, violente, virulente. *Alimenter, apaiser, déclencher, envenimer, provoquer* une dispute; *mettre fin à une dispute.* Une dispute éclate, s'élève.

DISTANCE considérable, énorme, faible, immense, infinie, infranchissable, moyenne, raisonnable, remarquable, respectable, variable. *Calculer, conserver, couvrir, déterminer, évaluer, franchir, garder, observer, parcourir une distance.*

DIVAN accueillant, capitonné, confortable, doux, éventré, imposant, inconfortable, moelleux, rugueux. *Offrir un divan; s'allonger, s'asseoir, se caler, se reposer, se vautrer sur un divan.*

DIVERTISSEMENT agréable, amusant, captivant, coûteux, drôle, ennuyeux, favori, instructif, intelligent, léger, passionnant, plaisant, populaire, réussi, sain, sérieux, simple.

DOIGT (*s'emploie généralement au pluriel*) agiles, boudinés, courts, crevassés, crispés, délicats, effilés, engourdis, énormes, fins, longs, maigres, menus, petits, potelés, raides, souples, trapus. *Caresser, cueillir, effleurer, palper, presser, tâter, toucher avec ses doigts.*

DOMAINE cossu, étendu, gigantesque, humble, imposant,

modeste, prestigieux, splendide, superbe, vaste. *Diriger, exploiter, entretenir, posséder un* domaine.

DOMMAGE considérable, grave, immense, important, insignifiant, irréparable, léger, limité, minime, sérieux. *Constater, faire, occasionner, réparer, subir un/des* dommage(s).

DON considérable, généreux, important, menu, modeste, précieux. *Accepter, faire, offrir, recevoir, recueillir, solliciter un/des* don(s).

DOS bombé, courbé, droit, étroit, large, musclé, robuste, rond, solide, souple, trapu, voûté. *Arrondir, bomber, courber, plier, redresser le* dos; *avoir le* dos *(+ adjectif).*

DOUCEUR étonnante, exceptionnelle, extrême, incroyable, inégalable. *Être d'une* douceur *(+ adjectif).*

DOULEUR affreuse, agaçante, atroce, brève, continue, endurable, extrême, forte, horrible, insoutenable, insupportable, intense, intermittente, intolérable, légère, localisée, pénible, persistante, soudaine, tolérable, violente, vive. *Aggraver, apaiser, augmenter, calmer, causer, sentir, soulager, supporter, supprimer, tolérer une* douleur. Une douleur s'atténue, se réveille, s'estompe, surgit.

DRAGON effrayant, féroce, fumant, géant, gigantesque, hideux, impressionnant, inoffensif, invincible, monstrueux, sanguinaire. Un dragon crache du feu.

DRAPEAU dépenaillé, déteint, énorme, immense, minuscule. *Agiter, brandir, déployer, exhiber, hisser, porter un* drapeau. Un drapeau claque, est en berne, flotte, frémit, frissonne, ondule.

DROGUE dangereuse, douce, dure, faible, fatale, forte, inoffensive, interdite, mortelle, nouvelle, populaire, puissante. *Acheter, consommer, essayer, fournir, fumer, prendre, se procurer, s'injecter, trafiquer, vendre de la* drogue; *se jeter, s'enfoncer, sombrer, tomber dans la* drogue; *toucher à la* drogue.

E

EAU abondante, boueuse, corrompue, cristalline, dormante, douce, imbuvable, inodore, limpide, morte, nauséabonde, polluée, potable, rafraîchissante, stagnante, transparente, trouble, turquoise. *Barboter, entrer, nager, patauger, plonger dans l'eau; économiser, gaspiller, polluer, traiter l'eau.* L'eau bouillonne, cascade, clapote, coule, dégouline, jaillit, s'écoule, stagne, tourbillonne.

ÉCHANGE (*action d'échanger quelque chose*) avantageux, égal, équitable, important, juste. *Effectuer, faire, offrir, proposer, refuser un échange.* ☐ (*conversation*) animé, bref, chaleureux, enrichissant, fructueux, intéressant, interminable, violent. *Avoir un échange (+ adjectif).*

ÉCHARPE chaude, courte, épaisse, légère, longue, mince. *Dénouer, nouer, porter, serrer une écharpe.*

ÉCHÉANCE courte, déterminée, éloignée, ferme, fixe, irréaliste, longue, précise, rapprochée, serrée, souple, stricte, vague. *Déterminer, éloigner, fixer, reculer, reporter, respecter, retarder une échéance.*

ÉCHEC assuré, cinglant, complet, désastreux, douloureux, humiliant, inattendu, inévitable, majeur, mémorable, mérité, mineur, prévisible, retentissant, spectaculaire, tragique. *Affronter, connaître, essuyer, éviter, ressentir, subir un échec.*

ÉCHELLE chancelante, courte, fixe, longue, pliante, solide, tremblante, vieille. *Descendre d'une échelle; escalader, planter, poser une échelle; grimper, monter à/sur une échelle.*

ÉCLAIR aveuglant, éblouissant, faible, foudroyant, fulgurant, menaçant, puissant, rapide, soudain, violent. *Un éclair illumine/ traverse/zèbre le ciel, jaillit.*

ÉCLAIRAGE artificiel, aveuglant, cru, doux, éblouissant, excessif, indirect, insuffisant, naturel, puissant, réduit, tamisé, violent.

ÉCLIPSE brève, courte, longue, lunaire, partielle, solaire, totale. *Assister à une éclipse; observer, regarder, voir une éclipse.* Une éclipse a lieu, se déroule, se produit.

ÉCOLE (*collège, université*) célèbre, grande, huppée, prestigieuse, renommée, réputée. *Abandonner, fréquenter, quitter l'école; aller, enseigner, entrer, étudier, s'inscrire à l'école; s'absenter, sortir de l'école.* ☐ (*édifice, bâtiment*) énorme, immense, moderne, modeste, imposante, vétuste.

ÉCOLIER (féminin: **écolière**) appliqué, assidu, attentif, brillant, curieux, discipliné, distrait, docile, doué, excellent, faible, fort, intelligent, médiocre, moyen, négligent, nonchalant, paresseux, sérieux, studieux, timide, travailleur, turbulent.

ÉCORCE dure, enroulée, épaisse, fine, frisée, gercée, lisse, mince, morte, noueuse, raboteuse, ridée, rude, rugueuse, tendre. *Enlever, gratter, inciser, peler, percer l'écorce de (un arbre, un fruit, etc.).*

ÉCOUTE active, assidue, attentive, distraite, exceptionnelle, intéressée, passive, polie, précieuse, respectueuse. *Accorder, avoir, faire une écoute (+ adjectif).*

ÉCRITURE appliquée, couchée, distincte, droite, égale, élégante, fine, illisible, indéchiffrable, minutieuse, nerveuse, nette, penchée, régulière, serrée, soignée, tremblante. *Déchiffrer, imiter, lire, reconnaître une écriture; soigner son écriture.*

ÉCRIVAIN (féminin: **écrivaine**) célèbre, chevronné, connu, doué, génial, habile, illustre, important, méconnu, original, productif, raté, réputé, respecté, talentueux.

ÉCUREUIL agile, craintif, gracieux, industrieux, nonchalant, prévoyant, vorace. *Apprivoiser, nourrir un écureuil.* Un écureuil bondit, grignote, grimpe, saute; *(son cri)* couine.

ÉDIFICE abandonné, austère, délabré, désaffecté, élégant, énorme, immense, imposant, impressionnant, majestueux, massif, moderne, modeste, prestigieux, sévère, sinistre, somptueux, splendide, triste. *Construire, démolir, détruire, ériger, habiter, inaugurer, restaurer un édifice.* Un édifice se dresse, s'effondre, s'élève.

EFFET agréable, bénéfique, catastrophique, curieux, déplorable, étonnant, évident, imprévisible, inespéré, insoupçonné, instantané, momentané, monstre, néfaste, négatif, nocif, nuisible, positif, prolongé, stimulant. *Avoir, causer, créer, espérer, faire, obtenir, produire, rechercher, ressentir un/des effet(s).* Un effet perdure, se fait sentir, se produit, s'estompe, s'intensifie.

EFFICACITÉ certaine, durable, élevée, exceptionnelle, impressionnante, incomparable, insatisfaisante, limitée, nulle, rare, réelle, supérieure, surprenante. *Accroître, améliorer, maximiser, renforcer l'/son efficacité; être, faire preuve d'une efficacité (+ adjectif).*

EFFORT accru, acharné, assidu, constant, courageux, douloureux, efficace, énorme, excessif, fructueux, intensif, momentané, particulier, payant, pénible, prolongé, soutenu, spectaculaire, supplémentaire, tenace, urgent. *Accomplir, cesser, continuer, encourager, faciliter, faire, fournir, réaliser, tenter un/des effort(s); redoubler d'efforts.* Un effort se poursuit, se relâche, s'intensifie.

ÉGLISE ancienne, austère, colossale, dépouillée, humble, immense, imposante, impressionnante, lumineuse, majestueuse, massive, moderne, modeste, pittoresque, riche, sobre, sombre, somptueuse, vaste. *Bâtir, construire, ériger, restaurer, visiter une église.* Une église se dresse, s'élève.

ÉGRATIGNURE insignifiante, légère, profonde, récente, superficielle, vieille, vilaine. *Avoir, causer, se faire, nettoyer, traiter une égratignure.*

ÉLAN énorme, immense, imposant, impressionnant, nonchalant. Un élan disparaît, s'ébroue, se dissimule, s'enfuit, s'immobilise, surgit; (*son cri*) brame.

ÉLÉGANCE classique, décontractée, discrète, exagérée, excentrique, naturelle, négligée, parfaite, prétentieuse, raffinée, recherchée, simple, sobre. *Avoir de l'élégance; être d'une élégance (+ adjectif).*

ÉLÉPHANT (féminin: **éléphante**) agressif, dangereux, destructeur, doux, énorme, féroce, gigantesque, imposant, inoffensif, majestueux, paisible, sauvage. *Domestiquer, dresser, monter un éléphant.* Un éléphant se baigne, s'accroupit; (*son cri*) barrit.

ÉLÈVE agité, appliqué, attachant, attardé, attentif, avancé, bavard, brillant, calme, contestataire, dissipé, distrait, docile, doué, exceptionnel, exemplaire, hyperactif, indiscipliné, insolent, intelligent, lent, médiocre, modèle, moyen, nonchalant, obéissant, paresseux, parfait, précoce, prometteur, respectueux, sage, sérieux, studieux, timide, travailleur, turbulent, zélé. *Encadrer, encourager, interroger, motiver, pousser, réprimander, suivre un élève.*

ÉLOGE éclatant, enthousiaste, exagéré, flatteur, hypocrite, juste, mérité, modéré, sincère, unanime, vague. *Accepter, adresser, faire, recevoir, s'attirer un/des éloge(s).*

EMBALLAGE attrayant, banal, décoratif, discret, écologique, endommagé, étanche, opaque, pratique, protecteur, recyclé, résistant, rigide, robuste, sécuritaire, solide, transparent. *Choisir,* *concevoir, ouvrir, utiliser un emballage (+ adjectif).*

EMBOUTEILLAGE colossal, énorme, épouvantable, impressionnant, interminable, léger, monstre, partiel, prévisible. *Créer, éviter, former, provoquer, signaler un embouteillage; être bloqué, se retrouver dans un embouteillage.* Un embouteillage se produit.

ÉMISSION captivante, débile, divertissante, ennuyeuse, excellente, minable, passionnante, piètre, pitoyable, populaire, ratée. *Animer, diffuser, écouter, enregistrer, manquer, présenter, rater, réaliser, regarder, suivre une émission; participer à une émission.*

ÉMOTION agréable, douloureuse, feinte, forte, heureuse, indéfinissable, inexprimable, intense, justifiée, légère, réelle, refoulée, sincère, stimulante, tendre, violente, vive. *Cacher, calmer, causer, éprouver, étouffer, maîtriser, manifester, ressentir, simuler une/ses émotion(s).*

EMPLOI (*usage*) abusif, correct, délicat, excessif, judicieux, modéré, normal, régulier. *Faire un emploi (+ adjectif).* □(*travail*) accaparant, avantageux, convoité, décevant, disponible, excellent, fixe, flexible, gratifiant, minable, modeste,

précaire, prestigieux, privilégié, satisfaisant, stable, stressant. *Abandonner, accepter, avoir, chercher, conserver, exercer, occuper, perdre, quitter, refuser, solliciter, supprimer, trouver un emploi.*

ENCOURAGEMENT appréciable, efficace, exceptionnel, inattendu, précieux, sincère, vif. *Apporter, exprimer, offrir, recevoir un/des encouragement(s).*

ENCRE claire, épaisse, fluide, foncée, fraîche, humide, indélébile, pâlie, persistante, séchée, spéciale.

ENCYCLOPÉDIE complète, énorme, épaisse, géante, gigantesque, immense, illustrée, volumineuse. *Consulter, lire, utiliser une encyclopédie; disposer, se servir d'une encyclopédie.*

ENDROIT accueillant, agréable, animé, calme, charmant, chic, confortable, dangereux, désert, discret, exceptionnel, intéressant, magique, mystérieux, paisible, paradisiaque, passant, perdu, ravissant, reposant, retiré, secret, superbe, tranquille, vivant. *Chercher, découvrir, fréquenter, trouver, visiter un endroit.*

ÉNERGIE débordante, excessive, extrême, formidable, incroyable, inépuisable, rare, soutenue, vive. *Concentrer, dépenser, fournir, perdre, retrouver de l'/son* énergie.

ENFANCE brisée, chaotique, choyée, comblée, défavorisée, dorée, douloureuse, ennuyeuse, équilibrée, heureuse, horrible, insouciante, instable, misérable, mouvementée, perturbée, sereine, simple, stable, tendre, traumatisante, triste. *Avoir, vivre une* enfance *(+ adjectif).*

ENFANT adorable, affectueux, agité, attachant, boudeur, buté, câlin, capricieux, charmant, coléreux, criard, docile, doué, effronté, énergique, enjoué, épanoui, équilibré, espiègle, éveillé, fragile, gai, gâté, insouciant, insupportable, intelligent, joyeux, naïf, obéissant, perturbé, peureux, pleurnicheur, précoce, prodige, raisonnable, rebelle, renfermé, retardé, sage, solitaire, tapageur, têtu, timide, tranquille, turbulent. *Aduler, attendre, cajoler, calmer, choyer, dorloter, éduquer, élever, émerveiller, gâter, idolâtrer, maltraiter, punir, réprimander, surveiller, traumatiser un/son* enfant.

ENNEIGEMENT abondant, assuré, constant, exceptionnel, faible, garanti, idéal, intense, parfait, précoce, prolongé, record, satisfaisant, spectaculaire, suffisant, tardif. *Assurer, connaître, garantir, offrir un* enneigement *(+ adjectif);* *bénéficier, jouir, profiter d'un* enneigement *(+ adjectif).*

ENNEMI (féminin: **ennemie**) affaibli, coriace, cruel, dangereux, farouche, féroce, invincible, redoutable, rusé, sauvage, violent. *Affronter, attaquer, attirer, battre, déjouer, fuir, guetter, intimider, surprendre, vaincre un/son* ennemi.

ENSEIGNANT (féminin: **enseignante**) attentionné, autoritaire, compétent, déplorable, dévoué, disponible, doué, dynamique, efficace, ennuyeux, exceptionnel, exigeant, expérimenté, formidable, impatient, juste, patient, populaire, renommé, sévère, strict.

ENSEIGNE attrayante, banale, clignotante, clinquante, lumineuse, simple.

ENSOLEILLEMENT abondant, agréable, assuré, constant, exceptionnel, faible, fort, insuffisant, optimal, parfait, prolongé, réduit, satisfaisant. *Bénéficier, jouir, profiter d'un* ensoleillement *(+ adjectif).*

ENTENTE chaleureuse, durable, éphémère, harmonieuse, mutuelle, parfaite, sincère, véritable. Une entente perdure, règne.

ENTRAÎNEMENT continu, dur, efficace, équilibré, excessif, exigeant, intensif, long, progressif, régulier, rigoureux. *Assurer, donner, encadrer, faire, pratiquer, subir, suivre un* entraînement*; manquer d'*entraînement.

ENTRAÎNEUR (féminin: **entraîneuse**) autoritaire, chevronné, compétent, dynamique, efficace, excellent, exigeant, expérimenté, médiocre, motivé, négligeant, qualifié, respecté, responsable, rigoureux, sévère. *Chercher, trouver un* entraîneur.

ENTREPRISE (*projet, tentative*) ardue, audacieuse, compliquée, courageuse, désastreuse, fructueuse, gigantesque, immense, impossible, interminable, laborieuse, longue, passionnante, ratée, réussie, risquée, vaste. *Échouer, persister, réussir, s'engager dans une* entreprise. Une entreprise avorte, échoue, rate, réussit. □(*firme, industrie*) dynamique, florissante, modèle, modeste, performante, polluante, prospère, rentable. *Créer, diriger, fermer, fonder, monter, ouvrir une* entreprise. Une entreprise démarre, dépérit, disparaît, marche, prospère, repart, végète.

ENTRETIEN (*réparation, surveillance*) complet, continu, défec-

tueux, efficace, impeccable, irréprochable, léger, mauvais, minime, minutieux, préventif, régulier, rigoureux, simple, sommaire. *Effectuer, faire un* entretien. □(*conversation*) agréable, amical, animé, bref, confidentiel, décevant, décousu, fructueux, houleux, intéressant, interminable, intime, mouvementé, sérieux. *Accorder, avoir, éviter, interrompre, obtenir, poursuivre, réclamer, refuser un* entretien. Un entretien a lieu, se déroule, s'engage, se prolonge, se termine.

ENTREVUE agréable, amicale, approfondie, brève, confidentielle, décevante, décisive, exclusive, franche, instructive, intéressante, sérieuse. *Accorder, avoir, clore, demander, donner, faire, passer, réaliser, refuser une* entrevue*; se présenter à/pour une* entrevue.

ENVIE brusque, dévorante, faible, folle, forte, immodérée, irrésistible, obsédante, pressante, profonde, saine, secrète, sincère, sotte, soudaine, subite, tenace, terrible. *Apaiser, contenter, donner, éprouver, ressentir, satisfaire une/ ses* envie(s).

ENVIRONNEMENT accueillant, dégradé, durable, fragile, hostile, insalubre, naturel, pollué, propre, sain, souillé, unique. *Assainir,* *détruire, menacer, préserver, protéger, respecter l'environnement.*

ÉPAULE (*s'emploie généralement au pluriel*) arrondies, carrées, étroites, fragiles, hautes, larges, maigres, musclées, nues, pendantes, potelées, puissantes, robustes, tombantes, voûtées. *Avoir des épaules (+ adjectif); baisser, hausser, redresser les/ses épaules.*

ÉPICE aromatique, douce, forte, légère, piquante. *Ajouter des épices; assaisonner d'épices.* Une épice rehausse.

ÉPICERIE complète, fine, gourmande, spécialisée, traditionnelle. *Ouvrir, tenir une épicerie.*

ÉPIDÉMIE catastrophique, contagieuse, dangereuse, désastreuse, faible, forte, foudroyante, grave, meurtrière, ravageuse, redoutable, sévère, terrible. *Enrayer, localiser, maîtriser, prévenir, propager une épidémie.* Une épidémie menace, recule, se propage, se répand, s'éteint, s'étend, s'intensifie.

ÉPOQUE agitée, désastreuse, exaltante, faste, florissante, importante, mémorable, mouvementée, passionnante, prospère, révolue. *Connaître, marquer, recréer, traverser, vivre une époque.* Une époque commence, débute, s'achève.

ÉQUIPE adverse, compétente, dynamique, expérimentée, imbattable, improvisée, motivée, performante, puissante, réduite, remarquable, soudée, vaincue, victorieuse. *Appartenir à une équipe; composer, encadrer, entraîner, former, monter, rajeunir, réunir, souder une équipe.*

ÉQUIPEMENT adéquat, complet, coûteux, défectueux, désuet, endommagé, entretenu, impeccable, moderne, perfectionné, performant, rudimentaire, sophistiqué, spécialisé. *Moderniser, rajeunir, renouveler un équipement; se doter d'un équipement.*

ÉRAFLURE discrète, infime, insignifiante, légère, longue, profonde, superficielle, vive. *Avoir, causer, constater, nettoyer, se faire une éraflure.*

ERREUR accidentelle, banale, catastrophique, courante, coûteuse, énorme, évidente, évitable, flagrante, fondamentale, grave, impardonnable, inacceptable, inexplicable, insignifiante, involontaire, irréparable, légère, monumentale, sérieuse, stupide. *Avouer, commettre, constater, découvrir, dénoncer, effacer, éviter, faire, laisser passer, regretter, réparer, répéter, signaler une/des erreur(s).*

ESCALIER abrupt, branlant, droit, élégant, épuisant, étroit, glissant, imposant, impressionnant, interminable, large, long, raide, sombre, somptueux, tortueux, tournant, vertigineux. *Débouler, dégringoler, descendre, emprunter, gravir, monter un escalier.*

ESPACE clos, disponible, étroit, fermé, libre, limité, minuscule, ouvert, restreint, vacant, vaste, vital. *Aménager, dégager, délimiter, déterminer, occuper, remplir, réserver un* espace. *L'espace augmente, diminue, manque.*

ESPÈCE abondante, commune, dangereuse, fragile, menacée, rare, sauvage, variée. *Préserver, protéger, sauver les* espèces.

ESSAI concluant, convaincant, décevant, encourageant, important, infructueux, manqué. *Effectuer, faire, rater, réaliser, recommencer, tenter un* essai. *Un essai avorte, échoue, réussit.*

ESTOMAC affamé, creux, délicat, dérangé, fragile, gonflé, irritable, paresseux, plein, robuste, sensible, solide, vide. *Avoir un* estomac *(+ adjectif).* Un estomac aboie, crie.

ESTRADE élevée, étroite, géante, immense, longue, minuscule, spacieuse. *Dresser, ériger, installer, monter une* estrade; *monter, prendre place sur une* estrade.

ÉTAGÈRE amovible, basse, branlante, encombrée, haute, large, légère, longue, lourde, mobile, solide, surchargée, suspendue, vide. *Fabriquer, fixer, installer, monter une* étagère; *déposer, placer, ranger sur une* étagère.

ÉTANG artificiel, asséché, boueux, calme, clair, dormant, étroit, limpide, marécageux, poissonneux, profond, sombre, vaste. *Aménager, assécher, vider un* étang.

ÉTAPE cruciale, décisive, délicate, déterminante, éprouvante, essentielle, finale, importante, incontournable, interminable, inutile, marquante, obligatoire, sérieuse. *Accomplir, achever, entreprendre, franchir, marquer, parcourir, sauter une* étape; *être une* étape *(+ adjectif); passer par une* étape.

ÉTAT affreux, catastrophique, dangereux, dégradé, délabré, déplorable, désespéré, évolutif, excellent, fâcheux, idéal, indescriptible, inquiétant, parfait, pénible, piètre, piteux, préoccupant, ridicule, stable, triste. *Constater un* état; *être, se sentir, se trouver dans un* état *(+ adjectif).* Un état empire, évolue, s'aggrave, s'améliore, se maintient, se détériore.

ÉTÉ accablant, atroce, chaud, court, doux, humide, idéal, insupportable, interminable, long, paradisiaque, pluvieux, sec, superbe. *L'été s'achève, approche, avance, prend fin.*

ÉTOILE brillante, clignotante, errante, étincelante, filante, lointaine, lumineuse, nébuleuse, pâle, radieuse, resplendissante, scintillante, solitaire, superbe, vive. *Admirer, contempler, observer les* étoiles. *Une étoile apparaît, monte, pâlit.*

ÉTUDE (_scolaire_) (_s'emploie généralement au pluriel_) avancées, brèves, brillantes, complètes, courtes, longues, poussées, sérieuses, supérieures. *Abandonner, achever, commencer, compléter, continuer, finir, interrompre, prolonger, reprendre ses* études; *faire, poursuivre des* études. □(_analyse, recherche_) approfondie, attentive, complète, courte, détaillée, fouillée, intéressante, longue, précise, rigoureuse, sérieuse, superficielle. *Effectuer, entreprendre une* étude.

ÉTUDIANT (féminin : **étudiante**) actif, agité, amorphe, appliqué, attentif, avancé, brillant, calme, courageux, discipliné, dissipé, distrait, docile, doué, excellent, faible, fainéant, fort, hyperactif, intelligent, médiocre, modèle, motivé, moyen, négligent, nonchalant, paresseux, passif, piètre, remarquable, sérieux, studieux, timide, travailleur, turbulent, zélé. *Interroger, encadrer, encourager, pousser, réprimander un* étudiant.

ÉVALUATION approximative, correcte, exagérée, faible, fausse, favorable, généreuse, haute, juste, modérée, modeste, rapide, rigoureuse, satisfaisante, sérieuse, sommaire, superficielle. *Effectuer, faire, gonfler, justifier, réviser une* évaluation; *procéder à une* évaluation.

ÉVÉNEMENT agréable, célèbre, couru, décisif, déplorable, émouvant, ennuyeux, exceptionnel, fâcheux, grandiose, heureux, horrible, important, inattendu, inespéré, insignifiant, mémorable, rare, sensationnel, spectaculaire, stressant, traumatisant, triste. *Assister à un* événement; *célébrer, fêter, organiser, préparer, vivre un* événement. *Un événement a lieu, arrive, se déroule, se passe, se produit.*

EXAMEN (_scolaire_) difficile, écrit, exigeant, facile, oral. *Échouer, être admis/refusé, se présenter à un*

examen; manquer, passer, pré-
parer, rater, réussir, réviser, sécher,
subir un examen. ☐(*étude,*
évaluation) approfondi, approximatif, attentif, complet, détaillé,
général, minutieux, précis, profond, rapide, rigoureux, sérieux,
sévère, sommaire, superficiel.
Effectuer, faire, pratiquer, subir un
examen.

EXCURSION agréable, brève,
courte, décevante, épuisante,
guidée, improvisée, inoubliable,
instructive, intéressante, interminable, longue, mouvementée,
pénible, rapide, solitaire, tranquille. *Effectuer, entreprendre,*
faire, organiser, réaliser une
excursion; être, partir en excursion;
participer, prendre part à une
excursion.

EXCUSE boiteuse, convaincante,
faible, fausse, improbable, incohérente, invraisemblable, mensongère, plausible, possible,
ridicule, sérieuse, sincère, sotte.
Bafouiller, chercher, donner, exiger,
forger, fournir, improviser, inventer
une excuse; faire, présenter des/ses
excuses.

EXEMPLE approprié, caractéris-
tique, choisi, concret, courant,
douteux, frappant, précis, rare.
Choisir, citer, donner, fournir
un/des exemple(s). Un exemple

démontre, indique, montre,
prouve.

EXERCICE agréable, bénéfique,
bref, court, doux, dur, éprouvant,
épuisant, exigeant, exténuant,
fatigant, intense, long, pénible,
plaisant, prolongé, relaxant,
rude, salutaire, sérieux, stimulant,
vigoureux, violent. *Exécuter, faire*
répéter un exercice.

EXPÉRIENCE agréable, amère,
amusante, brève, dangereuse, désastreuse, déterminante, douloureuse,
dure, enrichissante, éprouvante,
forte, fructueuse, intéressante,
manquée, négative, passionnante,
pénible, positive, ratée, réussie,
riche, triste. *Faire, réaliser, répéter,*
tenter, vivre une expérience. Une
expérience échoue, réussit.

EXPLICATION absurde, banale,
boiteuse, brève, claire, compliquée, confuse, convaincante,
courte, crédible, détaillée, embrouillée, évidente, franche,
interminable, invraisemblable,
juste, longue, originale, plausible,
rassurante, satisfaisante, simple,
sincère, solide, vague. *Bégayer,*
chercher, demander, donner, exiger,
fournir une explication. Une
explication rassure, s'impose.

EXPLOIT admirable, brillant,
époustouflant, extraordinaire,

incroyable, inédit, inégalable, mémorable, remarquable, sensationnel, surhumain, unique, véritable. *Accomplir, réaliser, réussir, tenter un* exploit.

EXPOSÉ bref, clair, complet, détaillé, ennuyeux, incompréhensible, interminable, long, monotone, précis, rapide, remarquable, sérieux, sommaire. *Donner, faire un* exposé.

EXPRESSION ambiguë, choisie, cocasse, courante, démodée, élégante, exacte, familière, figurée, juste, populaire, rare, recherchée, savoureuse, usuelle, vulgaire. *Employer, utiliser une* expression.

F

FACTURE chargée, détaillée, exagérée, excessive, fausse, salée. *Acquitter, alléger, demander, envoyer, faire, payer, préparer, régler, vérifier une* facture.

FAIM atroce, dévorante, incontrôlable, légère, modérée, soudaine, terrible, vorace. *Aiguiser, apaiser, assouvir, combattre, couper, donner, rassasier, sentir la/sa* faim ; *avoir, éprouver, ressentir une* faim *(+ adjectif).* Une faim s'assouvit, se fait sentir, tenaille.

FAIT absurde, accompli, anodin, banal, courant, crucial, déplorable, déterminant, établi, grave, incroyable, inoubliable, inusité, invraisemblable, pittoresque, précis, rare, regrettable, tragique, troublant. *Constater, décrire, dénoncer, dissimuler, interpréter, mentionner, nier, observer, raconter, souligner, vérifier un* fait. Un fait a lieu, arrive, se produit, survient.

FALAISE abrupte, élevée, escarpée, friable, imposante, inaccessible, raide, vertigineuse. *Dégringoler, franchir, gravir, grimper une* falaise.

FAMILLE brisée, déchirée, défavorisée, dispersée, éclatée, éloignée, fortunée, modeste, nombreuse, privilégiée, recomposée, respectable, restreinte, riche, soudée, unie. *Avoir, bâtir, diviser, élever, fonder, quitter une/sa* famille. Une famille se déchire, se forme.

FANTÔME affreux, effrayant, effroyable, épouvantable, hideux, horrible, invisible, maléfique, pâle, terrifiant. *Apercevoir, croiser, rencontrer, voir un* fantôme. Un fantôme disparaît, erre, hante, se manifeste, se déplace, surgit, rôde.

FATIGUE accumulée, chronique, excessive, générale, intense, légère, passagère, persistante, profonde, soudaine. *Endurer, éprouver, ressentir, surmonter une* fatigue.

FAUTE colossale, énorme, impardonnable, impunie, inexcusable, inexplicable, irréparable, insignifiante, involontaire, légère, sévère. *Avouer, commettre, pardonner, reconnaître, regretter, réparer une* faute.

FAUTEUIL accueillant, bas, branlant, capitonné, confortable, défoncé, ergonomique, éventré, large, moelleux, pivotant, profond, rembourré, spacieux, tournant, usé. *Avancer, offrir, présenter, tirer un* fauteuil; *prendre place, s'asseoir, se blottir, s'enfoncer, s'installer dans un* fauteuil.

FÉE bienfaisante, gracieuse, maléfique, secourable. *Croire aux* fées.

FEMME active, affectueuse, ambitieuse, bavarde, calculatrice, câline, coquette, courageuse, déterminée, distinguée, douce, dure, dynamique, effacée, épanouie, exemplaire, fascinante, hautaine, indépendante, insupportable, intelligente, intuitive, jalouse, mignonne, orgueilleuse, passionnée, passive, pratique, radieuse, raffinée, ravissante, remarquable, séduisante, sentimentale, sévère, soumise, superbe, tendre, timide, vigoureuse, violente, vive, vulgaire.

FERME délabrée, familiale, florissante, immense, industrielle, isolée, modèle, moderne, modeste, moyenne, prospère, soignée, spécialisée, vaste, vétuste. *Acheter, délaisser, exploiter, habiter, moderniser une ferme; travailler, vivre dans une ferme; vivre à la ferme.*

FESTIVAL bigarré, coloré, couru, énorme, gigantesque, grandiose, modeste, populaire, prestigieux. *Assister, se rendre à un festival; donner, organiser, préparer un festival.* Un festival a lieu, se déroule, se tient.

FÊTE agréable, bruyante, charmante, émouvante, endiablée, fastueuse, gâchée, gigantesque, grandiose, importante, improvisée, joyeuse, mémorable, prestigieuse, raffinée, réussie, somptueuse, superbe, sympathique. *Animer, annuler, célébrer, donner, improviser, organiser, troubler une fête; assister, inviter, participer à une fête.* Une fête a lieu, débute, se déroule, se termine, s'ouvre.

FEU (*incendie*) dévastateur, effroyable, flamboyant, incontrôlable, puissant, soudain, spectaculaire, violent. *Alimenter, allumer, attiser, causer, combattre, éteindre, étouffer, maîtriser un feu.* Un feu brûle, détruit, dévore, flambe, progresse, ravage, se déclare, se répand, s'éteint, s'étend. □(*feux de circulation*) *Brûler, griller, respecter un feu; s'arrêter à un feu.*

FEUILLE (*arbre, plante*) allongée, arrondie, ciselée, dentelée, étroite, fanée, flétrie, fraîche, large, minuscule, molle, morte, naissante, odorante, piquante, plissée, raide, séchée, souple, tachetée, veloutée, velue, vernissée. Les feuilles bougent, bruissent, frémissent, frissonnent, jaunissent, s'envolent, tombent, tourbillonnent, tournoient, tremblent. □(*papier*) blanche, détachée, froissée, immaculée, impeccable, lignée, mobile, quadrillée, unie, vierge. *Déchirer, froisser, plier une feuille; écrire sur une feuille.*

FIÈVRE brûlante, contagieuse, délirante, élevée, éphémère, fatale, forte, intense, intermittente, légère, modérée, passagère, prolongée, rebelle, violente. *Brûler, délirer, trembler de* fièvre *; calmer, diminuer, faire baisser, soigner une* fièvre. Une fièvre baisse, diminue, disparaît, empire, grimpe, monte, persiste, redouble, tombe.

FILLE (*opposé à «garçon»*) agréable, bien, capricieuse, charmante, chic, distinguée, douce, discrète, dynamique, formidable, gaie, géniale, gentille, intelligente, paresseuse, polie, rangée, ravissante, réservée, sage, sérieuse, simple, sportive, superbe, sympathique, timide, vive. □ (*opposé à «fils»*) adorée, affectueuse, attachante, attentionnée, chérie, dévouée, indigne, ingrate, obéissante, rebelle, respectueuse, soumise.

FILM amusant, bouleversant, captivant, célèbre, drôle, dur, émouvant, ennuyeux, génial, infect, intéressant, minable, nul, passionnant, potable, profond, raté, réaliste, remarquable, réussi, sensationnel, superbe, sympathique, violent. *Jouer, tourner dans un* film *; présenter, produire, réaliser un* film.

FILS adorable, affectueux, aimable, attachant, attentionné, dévoué, indigne, ingrat, irrespectueux, insupportable, rebelle.

FIN (*conclusion*) banale, brutale, décevante, dure, heureuse, imprévisible, inattendue, interminable, négative, optimiste, passionnante, pessimiste, positive, prévisible, spectaculaire, tragique, triste. □ (*agonie, mort*) affreuse, atroce, brusque, digne, douce, douloureuse, dramatique, horrible, lente, misérable, naturelle, paisible, rapide, sereine, tragique, violente. *Avoir, connaître une* fin *(+ adjectif); pressentir, voir venir sa* fin.

FLAMME ardente, chaude, crépitante, dansante, fumeuse, intense, intermittente, joyeuse, modérée, mourante, vacillante, vive. *Allumer, attiser, aviver, entretenir, éteindre, étouffer, ranimer la/les* flamme(s). Des flammes baissent, brûlent, crépitent, dansent, éclairent, jaillissent, montent, ondulent, palpitent, pétillent, reprennent, ronflent, s'éteignent, tremblent.

FLEUR close, cultivée, défraîchie, délicate, déployée, éclose, élégante, entrouverte, épanouie, éphémère, étiolée, fanée, flétrie, fraîche, hâtive, inodore, luxuriante, odorante, ouverte, précoce, sauvage, superbe, tardive.

Couper, cueillir, sentir une fleur; envoyer, lancer, offrir, planter des fleurs. Une fleur éclôt, embaume, se fane, s'effeuille, se flétrit, s'épanouit, s'étiole, s'ouvre.

FLEUVE calme, dangereux, étendu, étroit, fougueux, furieux, houleux, immense, large, long, marécageux, navigable, paisible, périlleux, poissonneux, profond, puissant, sinueux, tortueux, tranquille, turbulent. Descendre, longer, remonter, suivre, traverser un fleuve. Un fleuve court, déborde, se jette dans la mer, descend, remonte, serpente, sort de son lit.

FLOCON (s'emploie généralement au pluriel) abondants, clairsemés, drus, fondus, géants, légers, lourds, minuscules, nombreux, obliques, rapides, serrés. Les flocons descendent, errent, flottent, fondent, glissent, se précipitent, se pressent, tourbillonnent.

FLÛTE aiguë, criarde, cristalline, douce, entraînante, envoûtante, grave, harmonieuse, lancinante, langoureuse, mélodieuse, plaintive, stridente. Étudier la flûte; jouer de la flûte; souffler dans une flûte.

FOOTBALL (s'emploie surtout au Canada) Être un adepte de football; jouer, s'initier au football; pratiquer le football.

FORCE amoindrie, colossale, défaillante, destructrice, exceptionnelle, excessive, extraordinaire, herculéenne, impressionnante, incroyable, inouïe, insoupçonnée, puissante, rare, redoutable, remarquable, surhumaine. Avoir, déployer, employer, montrer, posséder une force (+ adjectif); être, être doté, faire preuve d'une force (+ adjectif); perdre, redonner, refaire, reprendre, retrouver, sentir de la/ses force(s).

FORÊT ancienne, bruissante, calme, clairsemée, dense, étendue, fournie, giboyeuse, gigantesque, humide, inaccessible, jeune, luxuriante, magnifique, majestueuse, odorante, profonde, sauvage, silencieuse, sombre, splendide, touffue, vaste, verdoyante. Aménager, défricher, détruire, exploiter, planter, raser une forêt; entrer, pénétrer, s'égarer, s'enfoncer dans une forêt; se promener en forêt.

FORME (apparence, aspect) allongée, anguleuse, arrondie, bizarre, bombée, carrée, douce, élancée, étudiée, évasée, extravagante, fuselée, gracieuse, inusitée, irrégulière, originale, plane, précise, raffinée, rectangulaire, ronde, sobre, spéciale, sphérique, symétrique, triangulaire, unique, vague. Avoir, posséder une forme

(+ adjectif); être d'une forme *(+ adjectif).* □(*condition physique*) athlétique, éblouissante, excellente, fantastique, insolente, olympique, parfaite, précaire. *Afficher, posséder une* forme *(+ adjectif); être, se trouver dans une* forme *(+ adjectif); se maintenir, se mettre, se sentir en* forme.

FORT (féminin : **forte**) abandonné, colossal, énorme, immense, impénétrable, important, imposant, imprenable, impressionnant, inaccessible, monumental, ruiné, superbe. *Assiéger, attaquer, bâtir, construire, défendre, dresser, élever, garder un* fort *; s'emparer d'un* fort. Un fort *domine, s'édifie, se dresse, s'élève.*

FORTUNE colossale, confortable, dispersée, énorme, fabuleuse, fragile, frauduleuse, gigantesque, honnête, honorable, immense, importante, impressionnante, inépuisable, inouïe, instantanée, modeste, rapide, scandaleuse, solide, subite, temporaire. *Accumuler, acquérir, avoir, conserver, dépenser, dilapider, engloutir, gérer, perdre, posséder, réaliser, risquer une* fortune *; disposer, hériter, jouir d'une/de sa* fortune.

FOUILLIS complet, dense, extrême, inacceptable, incompréhensible, indescriptible, inimaginable, invraisemblable, terrible, total. *Créer,*

être, provoquer un fouillis *(+ adjectif).*

FOULARD chaud, court, épais, long, mince. *Dénouer, enrouler, entortiller, nouer un* foulard.

FOULE agitée, bruyante, clairsemée, colorée, compacte, considérable, déchaînée, délirante, disparate, énorme, enthousiaste, épaisse, excitée, fébrile, furieuse, grouillante, hystérique, impressionnante, joyeuse, mécontente, menaçante, moutonnière, mouvante, organisée, passive, serrée, survoltée. *Calmer, disperser, émouvoir, enthousiasmer, éviter, passionner, rassembler, traverser une* foule. Une foule *augmente, déferle, défile, grandit, gronde, manifeste, s'agglutine, s'attroupe, se bouscule, s'éclaircit, se disperse, se forme, s'épaissit, se presse, se répand.*

FOURMI agressive, dangereuse, destructrice, féroce, géante, grégaire, industrieuse, infatigable, minuscule. Des fourmis *s'agitent, s'attroupent.*

FOURRURE abondante, bouclée, brillante, chaude, courte, dense, douce, duveteuse, épaisse, fournie, légère, lisse, longue, luisante, lustrée, magnifique, mate, pâle, rare, rase, rayée, rêche, rude, rugueuse, sombre, somptueuse, souple, soyeuse, superbe, tachetée, terne, touffue, unie, vaporeuse, veloutée.

FRACTURE complète, complexe, compliquée, double, fermée, grave, multiple, ouverte, partielle, sérieuse, simple. *Déceler, diagnostiquer, immobiliser, présenter, subir une* fracture; *souffrir d'une* fracture.

FRAPPE efficace, exceptionnelle, fulgurante, magistrale, molle, précise, puissante, rapide, solide. *Adresser, arrêter, bloquer, capter, décocher, détourner, effectuer, rater, renvoyer, tenter une* frappe; *avoir une* frappe *(+ adjectif).*

FREIN (*s'emploie généralement au pluriel*) défaillants, défectueux, déréglés, neufs, puissants, usés. *Actionner, écraser, lâcher, mettre, ôter les* freins. *Les freins* cèdent, grincent, hurlent.

FRÈRE accaparant, adorable, affectueux, agréable, aîné, attachant, attentionné, autoritaire, bagarreur, cadet, compréhensif, détestable, égoïste, envieux, généreux, gentil, jaloux, protecteur, serviable.

FROID (féminin: **froide**) cinglant, doux, dur, excessif, glacial, hivernal, horrible, humide, insupportable, intense, intolérable, modéré, mordant, pénétrant, prolongé, rigoureux, rude, sain, sec, sibérien, terrible, vif, violent, vivifiant. *Affronter, braver, combattre, craindre, endurer, ressentir, supporter le* froid; *grelotter, mourir, trembler de* froid. *Un froid* augmente, diminue, règne, reprend, s'abat, saisit, se prolonge, s'intensifie.

FRONT bombé, bossué, chauve, dégarni, étroit, fier, haut, hautain, large, luisant, moite, pâle, pensif, plat, plissé, proéminent, renflé, ridé, ruisselant, saillant, sérieux, songeur, soucieux. *Avoir un* front *(+ adjectif); baisser, incliner, lever, pencher, plisser, redresser, se cogner, s'éponger, s'essuyer le* front. *Un front* ruisselle, se déride, se détend, se plisse.

FRUIT acide, aigre, amer, appétissant, avarié, charnu, coloré, comestible, doux, dur, énorme, exquis, ferme, flétri, gâté, juteux, meurtri, mou, mûr, odorant, parfumé, piqué, pourri, raffiné, ridé, sain, savoureux, sec, succulent, sucré, sur, taché, tendre, velouté. *Croquer, cueillir, déguster, dénoyauter, éplucher, équeuter, évider, goûter, grignoter, manger, peler, savourer un* fruit; *croquer, mordre dans un* fruit. *Un fruit* grossit, mûrit, pourrit, pousse, se colore, se gâte, tombe.

FUMÉE aveuglante, épaisse, fine, irritante, légère, lourde, nauséabonde, odorante, opaque, suffocante, visible. *Dégager, émettre, produire, respirer de la fumée.* Une fumée asphyxie, flotte, monte, s'échappe, se dégage, se dissipe, s'élève, se répand, sort.

FUNÉRAILLES discrètes, émouvantes, grandioses, imposantes, impressionnantes, intimes, magnifiques, modestes, nationales, sobres, solennelles, tristes, superbes. *Assister à des funérailles; célébrer, faire, organiser, suivre des funérailles.*

G

GADOUE *Glisser, marcher, patauger, s'enfoncer, se rouler dans la gadoue.*

GAFFE catastrophique, énorme, épouvantable, incroyable, intentionnelle, irréparable, légère, magistrale, monumentale, suprême. *Collectionner, multiplier les gaffes; commettre, éviter, faire, réparer une gaffe.*

GAIN appréciable, élevé, énorme, évident, exceptionnel, excessif, faible, honorable, immense, important, imprévisible, inestimable, malhonnête, minime, modeste, notable, précieux, rapide, réel, remarquable, scandaleux, substantiel. *Effectuer, encaisser, enregistrer, faire, garantir, réaliser, représenter un gain (+ adjectif).*

GALOP aisé, allongé, ample, constant, effréné, fougueux, furieux, inégal, enjoué, léger, lent, long, lourd, modéré, normal, puissant, rapide, régulier, rythmé, souple, soutenu. *Arriver, partir, passer, revenir, s'élancer, se mettre au galop; avoir, effectuer, exécuter un galop (+ adjectif).*

GANG armé, criminel, dangereux, dévastateur, incontrôlé, organisé, puissant, redoutable, vaste. *Démanteler, diriger, former, intégrer, surveiller un gang.*

GANT (*s'emploie généralement au pluriel*) ajustés, assortis, courts, dépareillés, étanches, étroits, extensibles, fourrés, légers, longs, lourds. *Enfiler, enlever, mettre, ôter, passer, porter, retirer des/ses gants.*

GARÇON adorable, ambitieux, amusant, brave, brillant, charmant, coléreux, complexé, costaud, courageux, cultivé, délicat, discret, distingué, doué, doux, drôle, dynamique, éduqué, enjoué, espiègle, éveillé, gentil, grossier, heureux, imbécile, impulsif, intelligent, jovial, joyeux, motivé, naïf, pacifique, paresseux, passionné, poli, posé, prometteur, rebelle, remarquable, renfrogné, réservé, rêveur, séduisant, sérieux, silencieux, sociable, solitaire, susceptible, sympathique, talentueux, timide, tranquille.

GARDERIE accueillante, démunie, dynamique, équipée, impeccable, moderne, vétuste. *Animer, diriger une garderie.*

GARDE-ROBE abondante, complète, coûteuse, dépareillée, diversifiée, fatiguée, fournie, impressionnante, modeste, neuve, pauvre, riche, soignée, somptueuse, sophistiquée, superbe, variée, vaste, vieille, voyante. *Avoir, posséder une garde-robe (+ adjectif); changer, choisir,* compléter, rajeunir, refaire, renouveler sa garde-robe.

GARDIEN (féminin: **gardienne**) (*gardien d'enfants*) affectueux, attentif, attentionné, excellent, exceptionnel, fiable, infatigable, permissif, sérieux, sévère, strict, sûr. □(*gardien de but*) athlétique, efficace, exceptionnel, expérimenté, habile, infaillible, médiocre, passable, piètre, redoutable, remarquable, spectaculaire, talentueux, vif.

GARE animée, bondée, déserte, gigantesque, longue, minuscule, moderne, modeste, propre, sale, spacieuse, vaste. *Aller, arriver, se rendre à la gare.*

GASPILLAGE absurde, abusif, coûteux, effréné, énorme, honteux, important, impressionnant, inadmissible, incroyable, inexcusable, insensé, intolérable, inutile, scandaleux. *Contrôler, diminuer, éliminer, encourager, entraîner, éviter, freiner, réduire le gaspillage ; mettre fin, se livrer au gaspillage.*

GÂTEAU appétissant, croustillant, délicieux, feuilleté, fourré, frais, glacé, joli, léger, lourd, moelleux, plat, raffiné, savoureux, sec, simple, somptueux, sucré, superbe, tendre. *Glacer, confectionner, cuire, décorer, déguster,* démouler, diviser, faire, garnir, manger, préparer, réaliser, savourer un gâteau.

GAZON abandonné, brûlé, clairsemé, court, doux, dru, entretenu, fleuri, fourni, frais, humide, jauni, moelleux, plantureux, ras, sauvage, séché, souple, tendre, velouté. *Arroser, couper, entretenir, tondre le gazon ; semer du gazon.*

GÉNÉRATION actuelle, dernière, déclinante, gâtée, heureuse, intermédiaire, jeune, montante, nantie, nouvelle, perdue, prometteuse, rebelle, révoltée, sacrifiée, vieillissante. *Appartenir à une génération.*

GÉNIE admirable, créateur, exceptionnel, fécond, grand, incompris, incontestable, inépuisable, inventif, méconnu, précoce, profond, puissant, supérieur, universel. *Être un génie (+ adjectif) ; avoir du génie ; manquer de génie.*

GENOU ankylosé, douloureux, écorché, ensanglanté, fracassé, meurtri, potelé, vilain. *Fléchir, plier, s'écorcher, se déboîter, se luxer, se meurtrir le/les genou(x).* Des genoux flageolent, tremblent.

GENTILLESSE agaçante, agréable, amicale, calculée, déconcertante, exceptionnelle, excessive, exemplaire, extrême, hypocrite, infinie, mielleuse, naturelle, rare, remarquable, sincère, spontanée, suprême, touchante. *Montrer une gentillesse (+ adjectif); être, faire preuve d'une gentillesse (+ adjectif).*

GESTE accueillant, admiratif, affectueux, autoritaire, brusque, brutal, caressant, désespéré, disgracieux, doux, familier, gracieux, hésitant, impatient, insouciant, involontaire, irrespectueux, machinal, maladroit, menaçant, nerveux, nonchalant, paresseux, rageur, raide, rapide, répétitif, rude, spontané, taquin, violent. *Avoir un geste (+ adjectif); amorcer, freiner, répéter un geste; parler par gestes.*

GIFLE énorme, forte, immense, légère, magistrale, mémorable, retentissante, sonore, violente. *Administrer, donner, envoyer, flanquer, lancer, mériter, recevoir une gifle.*

GIRAFE curieuse, élancée, élégante, fière, gracieuse, gracile, hautaine. Une girafe broute, paît, rumine.

GLACE (*givre, neige,* etc.) artificielle, épaisse, étincelante, ferme, fondante, luisante, mince, naturelle, solide. La glace craque, fond, prend, se fendille, se forme, s'épaissit. □(*miroir*) brisée, claire, déformante, terne, ternie, trouble. *Faire sa toilette, se coiffer devant la glace; se regarder, se voir, s'inspecter dans une glace.*

GLISSE agréable, brusque, contrôlable, énergique, excellente, exceptionnelle, harmonieuse, inégalée, libre, médiocre, moyenne, optimale, parfaite, rapide. *Bénéficier d'une glisse (+ adjectif); favoriser, permettre une glisse (+ adjectif); pratiquer la glisse.*

GOÉLAND bruyant, criard, élégant, nuisible. *Chasser les goélands.* Un goéland plane, sautille, s'envole; (*son cri*) pleure.

GORILLE fort, grégaire, laid, paisible, solitaire, terrible, trapu, velu. Un gorille protège ses petits, saute de branche en branche; (*ses cris*) crie, hurle.

GOURMANDISE discrète, excessive, extrême, immodérée, incontrôlable, inouïe, insatiable, insatisfaite, légère, vorace. *Apaiser, assouvir, satisfaire sa gourmandise; manger, savourer avec gourmandise.*

GOÛT (*saveur*) acerbe, acide, âcre, affreux, agréable, aigre, amer, corsé, délicat, délicieux, déplaisant, douteux, doux, épicé, exquis, fade, fin, fort, fruité, infect, léger, marqué, piquant, plaisant, poivré, prononcé, raffiné, râpeux, relevé, salé, savoureux, suave, sucré, sur, tenace, terreux. *Avoir, donner, garder, laisser un* goût *(+ adjectif).* ☐(*préférence*) affirmé, bizarre, constant, contestable, contradictoire, défectueux, discutable, dispendieux, douteux, exquis, fin, infaillible, inné, irréprochable, luxueux, macabre, modeste, raffiné, ridicule, ruineux, simple, sobre, sûr, vulgaire. *Affiner, développer le/son* goût; *avoir du* goût; *avoir un* goût *(+ adjectif);* manquer de goût. Un goût s'affine, se développe.

GOUTTE brillante, claire, cristalline, épaisse, figée, fine, froide, limpide, scintillante, transparente. Des gouttes jaillissent, perlent, ruissellent, tombent.

GRANDEUR appropriée, constante, démesurée, exagérée, idéale, inhabituelle, inférieure, modeste, moyenne, nature, normale, phénoménale, raisonnable, réduite, réelle, spectaculaire, suffisante, supérieure, variable. *Déterminer, évaluer, mesurer une* grandeur; *être d'une/de* grandeur *(+ adjectif).*

GRATTE-CIEL austère, gigantesque, grandiose, imposant, impressionnant, majestueux, rutilant, vertigineux, vaste, vétuste.

GRENOUILLE géante, gluante, lisse, luisante, nerveuse, souple, visqueuse. Une grenouille bondit, nage, saute, sautille; (*son cri*) coasse.

GRÈVE caillouteuse, déserte, étroite, immense, isolée, large, nue, rocailleuse, sablonneuse, vaste, vide. *Atteindre, longer, quitter, toucher la* grève; *déferler, se briser, s'échouer sur la* grève. ☐(*arrêt de travail*) courte, dure, éclair, interminable, massive, symbolique. *Briser, déclarer, déclencher, entamer, reporter une* grève; *connaître une* grève *(+ adjectif); entrer, être, se mettre en* grève.

GRIFFE (*s'emploie généralement au pluriel*) acérées, fines, pointues, solides, tranchantes. *Rentrer, sortir ses* griffes.

GRIMACE affreuse, boudeuse, complice, dédaigneuse, dégoûtée, ébahie, effrayée, féroce, furieuse, haineuse, horrible, légère, moqueuse, nerveuse, odieuse, polie, stupide. *Esquisser, faire, laisser échapper une* grimace.

GRIPPE atroce, banale, carabinée, chronique, faible, forte, maligne, négligée, sévère, tenace, vilaine. *Attraper, avoir une grippe (+ adjectif); se remettre, souffrir d'une grippe.*

GRIS acier, ardoise, argenté, bleu, cendré, clair, délavé, foncé, léger, lumineux, métallisé, neutre, pâle, perle, plomb, poussiéreux, sombre, souris, taupe, terne, vert.

GROGNEMENT agacé, animal, bourru, effroyable, étouffé, féroce, impatient, menaçant, rageur, terrible, soudain, sourd, vague, vorace. *Entendre, étouffer, laisser échapper, pousser un grognement.* Un grognement jaillit, résonne.

GRONDEMENT confus, continu, énorme, épouvantable, étouffé, indistinct, lointain, menaçant, profond, puissant, sinistre, sourd, terrible, vague, violent. *Émettre, laisser échapper, pousser un grondement.* Un grondement monte, retentit, s'amplifie, se fait entendre, s'élève, surgit.

GROSSEUR appropriée, adéquate, constante, croissante, démesurée, étonnante, exceptionnelle, excessive, idéale, inhabituelle, inférieure, infinie, insuffisante, modeste, moyenne, normale, raisonnable, réduite, réelle, spectaculaire, supérieure, variable. *Être d'une/de grosseur (+ adjectif).*

GROUPE compact, considérable, disparate, divisé, homogène, important, intermédiaire, performant, restreint, serré, soudé, uni. *Animer, créer, diriger, dissoudre, former un groupe; être inscrit, s'intégrer, s'introduire dans un groupe; faire partie, se détacher d'un groupe.* Un groupe se constitue, se désagrège, se disperse, se forme.

GUÊPE agressive, furieuse, inoffensive, velue. Une guêpe bourdonne, pique, voltige.

GUÉRISON complète, étonnante, hâtive, inespérée, lente, longue, miraculeuse, parfaite, précoce, prompte, rapide, tardive. *Espérer, obtenir, souhaiter une guérison; être en voie de guérison.*

GUERRE abominable, absurde, acharnée, atroce, barbare, brève, brutale, civilisée, coûteuse, cruelle, destructrice, éclair, efficace, effroyable, féroce, furieuse, inévitable, inhumaine, injuste, injustifiée, intense, interminable, inutile, longue, meurtrière, obstinée, ouverte, prolongée, rapide, rude, ruineuse, sanglante, sauvage, terrible, tragique, virulente. *Arrêter, causer, décider, déclarer, déclencher, éviter, faire cesser, finir, gagner, interrompre, justifier, lancer, livrer, perdre, poursuivre, préparer, prolonger, subir, traverser une* guerre. Une guerre cesse, commence, éclate, menace, ravage, s'enlise, se prolonge, se termine, s'éternise, sévit, s'installe.

GUIDE (*personne*) attitré, compétent, confirmé, expérimenté, infatigable, intrépide, parfait, qualifié, sûr. *Louer, prendre un* guide; *suivre le* guide. □(*livre*) excellent, idéal, illustré, incontournable, indispensable, inestimable, intéressant, précieux, précis. *Acheter, consulter un* guide.

GUIRLANDE brillante, chargée, colorée, décorative, étincelante, festive, légère, lourde, lumineuse, originale, raffinée, simple, soignée, sobre. *Accrocher, décrocher, enlever, fabriquer, fixer une* guirlande.

GUITARE harmonieuse, sonore. *Accorder, gratter, racler une* guitare; *gratter/pincer les cordes d'une* guitare; *jouer de la* guitare; *s'accompagner à la* guitare.

GUITARISTE célèbre, excellent, génial, médiocre, original, piètre, talentueux, virtuose.

GYMNASTIQUE acrobatique, assouplissante, bénéfique, douce, dynamique, intensive, lente, passive, relaxante, stricte. *Faire de la* gymnastique; *pratiquer la* gymnastique.

H

HABILLEMENT bizarre, convenable, curieux, décent, décontracté, disparate, étrange, extravagant, grotesque, loufoque, misérable, modeste, négligé, pauvre, ridicule, soigné. *Porter, revêtir un* habillement *(+ adjectif)*.

HABIT chic, convenable, correct, démodé, élégant, élimé, étriqué, impeccable, miteux, neuf, râpé, simple, somptueux, strict, superbe, usé. *Confectionner, mettre, ôter, porter, revêtir, tailler un* habit.

HABITAT accueillant, fragile, hostile, idéal, naturel, perturbé, pollué, restreint, rude, sain, sauvage, spacieux, stable. *Aménager, créer, défendre, dégrader, détruire, menacer, préserver, protéger, reconstituer, restaurer un* habitat.

HABITUDE acquise, ancienne, ancrée, coûteuse, déplorable, douce, endurcie, enracinée, excellente, fâcheuse, incrustée, longue, malsaine, tenace, triste, vilaine. *Avoir, bousculer, combattre, conserver, perdre, prendre, retrouver une/ses* habitude(s). *Une habitude se crée, se développe, se répand, s'incruste.*

HAIE basse, compacte, décorative, dense, épaisse, étroite, fleurie, haute, large, longue, mitoyenne, serrée, touffue. *Couper, élaguer, planter, tailler une* haie.

HAINE acharnée, effroyable, enragée, inexprimable, inguérissable, injustifiée, intense, obsessionnelle, passionnée, profonde, réciproque, tenace, véritable, virulente, vivace. *Alimenter, assouvir, attiser, calmer, engendrer, éprouver, éveiller, inspirer, manifester, nourrir, raviver, renforcer, ressentir, soulever la/sa* haine*; avoir, éprouver une* haine *(+ adjectif)*. Une haine couve, éclate, s'avive, se déclare, se répand.

HALEINE chaude, empestée, forte, fraîche, horrible, infecte, malodorante, nauséabonde, parfumée, propre, puante. *Avoir, posséder une* haleine *(+ adjectif)*.

HANCHE (*s'emploie généralement au pluriel*) abondantes, développées, étroites, fortes, généreuses, larges, minces, ondulantes, rebondies, rondes. *Avoir des/les* hanches *(+ adjectif); balancer, remuer les* hanches*; dandiner les* hanches*; tortiller des* hanches.

HARCÈLEMENT constant, continuel, cruel, incessant, intensif, perpétuel. *Dénoncer, exercer, faire cesser, subir un* harcèlement.

HAUSSE automatique, brutale, considérable, énorme, exagérée, exceptionnelle, excessive, faible, forte, graduelle, importante, imprévue, injustifiée, inquiétante, légère, modérée, modeste, prévisible, progressive, raisonnable, sauvage, scandaleuse, spectaculaire, substantielle. *Afficher, combattre, connaître, enregistrer, entraîner, freiner, subir une hausse.*

HAUTEUR effrayante, exagérée, illimitée, impressionnante, infinie, inimaginable, majestueuse, modeste, moyenne, suffisante, variable, vertigineuse.

HÉLICOPTÈRE bruyant, léger, lourd, moderne, puissant, rapide, sophistiqué, sûr, vétuste. *Être évacué/transporté par un hélicoptère; piloter, stationner un hélicoptère.* Un hélicoptère atterrit, décolle, s'écrase, survole, tournoie, vole dans le ciel.

HERBE broussailleuse, brûlée, coupée, douce, drue, épaisse, fanée, fine, fleurie, fournie, fraîche, givrée, haute, humide, jaunie, odorante, rase, rude, sauvage, séchée, tendre. *Arroser, couper, faucher, fouler, tondre l'herbe.* L'herbe pousse, se dessèche, verdoie.

HÉRITAGE énorme, fabuleux, important, inattendu, inespéré, insignifiant, léger, lointain, maigre, mince, modeste, rondelet. *Attendre, contester, engloutir, espérer, léguer, manger, recevoir, réclamer, toucher un héritage.*

HIPPOPOTAME énorme, imposant, impressionnant, lourd, monstrueux, trapu. Un hippopotame nage, respire hors de l'eau, surgit de l'eau.

HIRONDELLE agressive, bruyante, élégante, fidèle. Une hirondelle bat l'air de ses ailes, lisse ses plumes, s'enfuit, s'envole, vole, voltige; (*ses cris*) gazouille, trisse.

HISTOIRE aberrante, absurde, amusante, atroce, authentique, banale, bouleversante, captivante, cocasse, compliquée, crédible, décousue, douloureuse, drôle, émouvante, ennuyeuse, étonnante, horrible, incroyable, intéressante, invraisemblable, longue, misérable, monotone, mouvementée, passionnante, poignante, réelle, simple, sombre, touchante, vraie. *Conter, croire, écouter, écrire, embellir, entendre, imaginer, inventer, raconter une histoire.*

HIVER affreux, clément, court, doux, dur, glacial, insupportable, interminable, mémorable, pénible, pluvieux, précoce, rigoureux, rude, tardif, terrible. *Affronter, aimer, détester, redouter l'*hiver. L'hiver approche, achève, s'en va, s'éternise, se traîne, s'installe, tire à sa fin.

HOCKEY défensif, offensif, spectaculaire. *Être un adepte/ passionné de* hockey; *jouer au* hockey; *pratiquer le* hockey.

HOCKEYEUR (féminin: **hockeyeuse**) accompli, combatif, débutant, excellent, frêle, implacable, inégal, infatigable, intrépide, passable, rapide, redoutable, vaillant.

HOMME ambitieux, brusque, casanier, chaleureux, charmant, coquet, courageux, craintif, cultivé, curieux, délicat, discret, doux, égoïste, élégant, énergique, enthousiaste, exemplaire, fidèle, fier, galant, habile, honnête, honorable, intelligent, jovial, lâche, loquace, mature, mélancolique, modeste, négligé, nonchalant, passionnant, pantouflard, passionné, posé, raffiné, remarquable, réservé, respectable, respectueux, rude, séduisant, sensible, sérieux, serviable, spirituel, timide, violent.

HONTE extrême, fausse, inavouée, profonde, ridicule, secrète, vive. *Avouer, cacher sa* honte; *causer, éviter, semer la* honte; *éprouver, ressentir de la* honte; *pleurer, rougir, trembler de* honte.

HÔPITAL bondé, débordé, engorgé, moderne, réputé, rudimentaire, saturé, vétuste. *Être admis/soigné/traité à l'*hôpital; *sortir de l'*hôpital.

HOQUET brusque, bruyant, horrible, incontrôlable, incessant, léger, persistant, prolongé, tenace. *Arrêter, laisser échapper, retenir un* hoquet; *avoir un* hoquet *(+ adjectif).* Un hoquet dure, persiste, s'arrête, se calme.

HORIZON assombri, brouillé, brumeux, chargé, clair, couvert, dégagé, ensoleillé, étendu, flamboyant, illimité, immense, infini, lointain, lumineux, menaçant, nébuleux, obscur, orageux, pâle, pur, rougissant, sombre, vaste, voilé. *Admirer, observer, sonder l'*horizon. L'horizon pâlit, s'éclaire, se dégage, s'empourpre, s'obscurcit.

HOSPITALISATION brève, immédiate, imprévue, longue, nécessaire, prolongée, urgente. *Nécessiter, ordonner, prolonger, retarder, subir une* hospitalisation.

HÔTEL accueillant, banal, calme, charmant, chic, confortable, économique, louche, luxueux, malpropre, misérable, miteux, moderne, modeste, passable, prestigieux, réputé, splendide, standard, tranquille. *Chercher, choisir, recommander, réserver, trouver un hôtel.*

HUMEUR agréable, blagueuse, bourrue, calme, capricieuse, changeante, dépressive, détestable, égale, enjouée, excellente, impatiente, imprévisible, insouciante, insupportable, intolérable, irritable, joviale, joyeuse, maussade, moqueuse, pessimiste, radieuse, solitaire, sombre, taciturne, taquine, triste. *Changer d'humeur; être, faire preuve d'une humeur (+ adjectif).*

HUMIDITÉ accablante, ambiante, constante, élevée, excessive, extrême, insupportable, légère, lourde, malsaine, modérée, persistante, variable. *Être d'une humidité (+ adjectif).* Une humidité glace, monte, ruisselle, s'intensifie, suinte, tombe.

HUMORISTE amateur, amusant, cynique, expérimenté, inventif, méchant, moqueur, populaire, professionnel, raté, réputé. *Applaudir, siffler un humoriste.*

HUMOUR absurde, cinglant, déplacé, divertissant, épais, exquis, fin, irrésistible, jovial, léger, lourd, méchant, plaisant, sarcastique, savoureux, subtil. *Aimer, manier, pratiquer l'humour; avoir, faire de l'humour; faire preuve, manquer d'humour.*

HURLEMENT affreux, aigu, déchirant, effroyable, horrible, long, perçant, plaintif, rauque, sauvage, terrible, terrifiant. *Émettre, laisser échapper, pousser un hurlement.*

HYGIÈNE indispensable, insuffisante, lamentable, préventive, rigoureuse, sévère, sommaire. *Manquer d'hygiène; négliger, observer, pratiquer l'hygiène.*

I

IDÉE approximative, audacieuse, banale, excentrique, farfelue, fixe, géniale, intéressante, lumineuse, naïve, originale, précise, préconçue, réaliste, réconfortante, répandue, séduisante, vague. *Approuver, avancer, échanger, émettre, exprimer, lancer, mûrir, partager, proposer une/des idée(s).* Une idée émerge, évolue, fait son chemin, germe, se précise, stagne, surgit, traverse l'esprit.

IDOLE adulée, confirmée, déchue, inaccessible, internationale, mondiale, naissante, planétaire, populaire. *S'identifier à une* idole.

IGNORANCE complète, crasse, déconcertante, grave, impardonnable, incroyable, inexcusable, rare, totale. *Faire preuve d'une* ignorance *(+ adjectif); lutter contre l'*ignorance*; manifester, montrer une* ignorance *(+ adjectif); rester, s'enfoncer, vivre dans l'*ignorance*.*

ÎLE déserte, désertique, habitée, minuscule, montagneuse, perdue, peuplée, plate, solitaire, verdoyante, volcanique. *Explorer, habiter une* île*; séjourner sur une* île*.*

IMAGE altérée, banale, claire, embellie, fade, fidèle, flatteuse, floue, inédite, nette, ressemblante, terne, truquée. *Corriger, dessiner, exécuter, imprimer, produire, réaliser, rectifier une* image*.* Une image s'efface, s'estompe.

IMAGINATION brillante, débordante, défaillante, faible, féconde, fertile, inépuisable, inventive, libre, limitée, puissante, riche, vive. *Avoir une/l'*imagination *(+ adjectif); cultiver, exercer, nourrir, suivre l'/son* imagination*; déborder, manquer d'*imagination*; faire preuve d'une* imagination *(+ adjectif).* L'imagination erre, galope, s'enflamme, travaille, vagabonde.

IMMEUBLE cossu, décrépit, délabré, désaffecté, élégant, imposant, impressionnant, insalubre, luxueux, majestueux, modeste, prestigieux, riche, sévère, vaste. *Construire, démolir, édifier, entretenir, ériger, occuper, raser, rénover, restaurer un* immeuble*; habiter dans un* immeuble*.* Un immeuble se dresse, s'élève, tombe en ruines.

IMPATIENCE exagérée, extrême, injustifiée, intolérable, rare, visible, vive. *Apaiser, calmer, dissimuler, maîtriser, modérer, réprimer son* impatience*; éprouver, manifester, montrer, témoigner une* impatience *(+ adjectif); être, faire preuve d'une (+ adjectif).*

IMPOLITESSE choquante, extrême, grave, grossière, impardonnable, inacceptable, inadmissible, inimaginable, inouïe, insupportable, provocatrice. *Être, faire preuve d'une* impolitesse *(+ adjectif).*

IMPORTANCE capitale, déterminante, énorme, exagérée, insoupçonnée, justifiée, primordiale, réelle, secondaire, vitale. *Accorder, attacher, avoir, donner, prendre une/de l'*importance; *être d'une* importance *(+ adjectif).*

INATTENTION apparente, blâmable, flagrante, grave, prolongée. *Afficher, commettre une* inattention *(+ adjectif); faire preuve d'*inattention *(+ adjectif).*

INCENDIE accidentel, criminel, dévastateur, dramatique, grave, incontrôlable, léger, majeur, meurtrier, mineur, ravageur, spectaculaire, suspect, vaste, violent. *Allumer, causer, combattre, contrôler, déclencher, maîtriser, provoquer un* incendie. Un incendie couve, dévaste, éclate, fait rage, flambe, progresse, ravage, se déclare, se développe, se propage, s'éteint, s'étend.

INCIDENT banal, cocasse, comique, drôle, fâcheux, grave, insolite, isolé, mémorable, regrettable, tragique, triste. *Décrire, grossir, minimiser, raconter un* incident. Un incident arrive, se passe, se produit, survient.

INDIFFÉRENCE apparente, étudiée, fausse, provocante, totale. *Éprouver, manifester, montrer, témoigner une* indifférence *(+ adjectif); faire preuve d'une* indifférence *(+ adjectif).*

INDIGESTION banale, forte, légère, soudaine, terrible, violente. *Causer, faire, provoquer une* indigestion; *souffrir d'une* indigestion *(+ adjectif).*

INDUSTRIE artisanale, dynamique, florissante, gigantesque, innovante, moderne, modeste, novatrice, performante, polluante, prestigieuse, propre, prospère, puissante. *Diriger, exploiter, fonder, implanter, moderniser, restaurer une* industrie. Une industrie décline, dépérit, prend son essor, stagne, végète.

INFECTION aiguë, banale, contagieuse, grave, persistante, répandue, sévère. *Attraper, causer, guérir, prévenir, traiter, transmettre une* infection. Une infection se contracte, se développe, se propage, s'étend, se transmet, survient.

INFLUENCE certaine, dangereuse, désastreuse, énorme,

exagérée, importante, majeure, malsaine, mineure, néfaste, négative, nocive, positive, puissante, stimulante. *Exercer, observer, sentir, subir, suivre une* influence. Une influence agit, se fait sentir, s'intensifie.

INFORMATION confidentielle, crédible, déformée, détaillée, douteuse, erronée, exacte, exclusive, fausse, floue, fondée, mensongère, précieuse, précise, sérieuse, solide, sûre, suspecte. *Communiquer, contredire, confirmer, demander, diffuser, faire circuler, fournir, recueillir, réunir, transmettre, vérifier une/des* information(s); *manquer d'*informations.

INJUSTICE choquante, criante, évidente, flagrante, grave, impardonnable, irréparable, monumentale, profonde, révoltante, scandaleuse. *Commettre, corriger, dénoncer, endurer, réparer, ressentir, subir, venger une* injustice; *être, faire preuve d'une* injustice (+ adjectif); *haïr, refuser, supporter, tolérer l'*injustice; *lutter, protester, se révolter contre l'*injustice.

INONDATION brusque, catastrophique, désastreuse, dévastatrice, dramatique, énorme, exceptionnelle, grave, historique, majeure, meurtrière, mineure, redoutable, soudaine, spectaculaire, terrible, violente. *Causer,*

provoquer, subir une inondation; *échapper à une* inondation. Une inondation augmente, progresse, recule, se produit, s'étend.

INQUIÉTUDE croissante, cruelle, dévorante, injustifiée, maladive, réelle, terrible, vive. *Apaiser, augmenter, cacher, causer, éprouver, exprimer, ressentir, soulever une/son/ses* inquiétude(s). Une inquiétude monte, persiste.

INSECTE agressif, dangereux, inoffensif, malfaisant, minuscule, nuisible, solitaire, utile. *Chasser, collectionner, détruire, écarter les* insectes; *lutter contre les* insectes. Un insecte se pose, vrombit.

INSTANT bref, capital, décisif, déterminant, fatidique, féerique, fort, magique, mémorable, mystérieux, pénible, précieux, précis, privilégié, savoureux, sublime, terrible, tragique, unique. *Connaître, passer, vivre un* instant (+ adjectif).

INSTRUCTION étendue, excellente, faible, insuffisante, remarquable, rudimentaire, solide, sommaire, superficielle, vaste. *Avoir, posséder de l'*instruction; *être dépourvu d'*instruction.

INSTRUMENT (*outil*) approprié, compliqué, dangereux, défectueux, efficace, fiable, fragile, indispensable, performant, pratique, rudimentaire, simple, sophistiqué, utile. *Employer, manier, utiliser un* instrument; *se servir, user d'un* instrument. □(*musique*) criard, discordant, harmonieux, juste, mélodieux, nasillard, perçant, puissant, sensible, sonore. *Accorder, apprendre, maîtriser, pratiquer, toucher un* instrument; *jouer d'un* instrument.

INSULTE blessante, cruelle, gratuite, grossière, impardonnable, intolérable. *Dire, faire, jeter, recevoir, subir une/des* insulte(s).

INTELLIGENCE alerte, bornée, brillante, déficiente, développée, équilibrée, exceptionnelle, impressionnante, inférieure, limitée, pratique, précoce, prodigieuse, rapide, remarquable, superficielle, supérieure, vive. *Avoir, posséder une* intelligence *(+ adjectif); cultiver, développer, éveiller, exercer, stimuler l'/son* intelligence; *faire preuve d'une* intelligence *(+ adjectif).*

INTENTION aimable, cachée, claire, douteuse, gentille, honnête, précise, pure, secrète, sincère, vague. *Annoncer, dévoiler, exprimer, montrer, préciser, révéler, taire, trahir une/son/ses* intention(s).

INTÉRÊT accru, capital, commun, énorme, évident, exceptionnel, excessif, extraordinaire, extrême, faible, immense, marqué, modéré, particulier, passager, passionné, réel, soutenu, subit, véritable, vif. *Accorder, éprouver, éveiller, exprimer, manifester, montrer, stimuler, témoigner un/de l'*intérêt; *être d'un* intérêt *(+ adjectif).*

INTERNET convivial, efficace, lent, performant, puissant, rapide, sûr, utile. *Avoir accès, s'abonner, se brancher, se connecter à* Internet; *chercher, dialoguer, fureter, naviguer, surfer, travailler dans* Internet; *parcourir, utiliser* Internet; *se servir d'*Internet.

INVENTION accidentelle, capitale, dangereuse, diabolique, efficace, fantastique, géniale, importante, ingénieuse, merveilleuse, originale, pratique, remarquable, révolutionnaire, sensationnelle, spectaculaire, spontanée, utile. *Lancer, mettre au point, perfectionner, réaliser une* invention.

INVITATION aimable, amicale, chaleureuse, discrète, ferme, flatteuse, franche, insistante, irrésistible, polie, sincère, subtile. *Accepter, attendre, envoyer, faire, lancer, recevoir, refuser une* invitation.

ITINÉRAIRE accidenté, balisé, complet, court, long, sinueux, tortueux. *Déterminer, élaborer, emprunter, étudier, faire, modifier, préparer, suivre, tracer un itinéraire.*

J

JAGUAR agile, élancé, féroce, gracieux, sanguinaire, sournois, svelte. *Un jaguar attaque, bondit, dévore, guette sa proie, rampe, rôde, s'élance, s'accroupit;* (<u>son cri</u>) *rugit.*

JALOUSIE dévastatrice, dévorante, exagérée, extrême, féroce, injustifiée, maladive, possessive, réciproque, terrible, triste. *Crever, être malade/torturé de* jalousie; *éprouver, ressentir une* jalousie *(+ adjectif); être, se montrer d'une* jalousie *(+ adjectif).*

JAMBE (<u>s'emploie généralement au pluriel</u>) arquées, athlétiques, droites, élancées, engourdies, fines, longues, maigres, molles, musclées, raides, solides, souples, sveltes, tremblantes, vigoureuses. *Allonger, croiser, écarter, étirer, fléchir les/ses* jambes; *avoir des/les* jambes *(+ adjectif); se dégourdir les* jambes. *Des jambes flageolent, fléchissent, tremblent.*

JARDIN admirable, élégant, énorme, ensoleillé, entretenu, fertile, fleuri, harmonieux, immense, luxuriant, magnifique, modeste, odorant, raffiné, ravissant, sauvage, soigné, splendide, vaste, verdoyant. *Admirer, arpenter, arroser, cultiver, entretenir, faire, soigner un* jardin.

JAUNE ambré, brillant, chaud, clair, doré, éclatant, fade, foncé, franc, intense, moutarde, moyen, orangé, paille, pâle, soutenu, terne, vif.

JEAN ample, avachi, brodé, déchiré, délavé, élimé, étroit, évasé, fatigué, frangé, griffé, impeccable, informe, moulant, rapiécé, serré, troué, usé. *Enfiler, enlever, mettre, porter un* jean; *être en* jean; *être vêtu d'un jean.*

JET continu, énorme, faible, fort, intermittent, long, mince, minuscule, puissant, vertical. *Émettre, lancer, projeter un* jet.

JEU (<u>amusement</u>) amusant, attrayant, brutal, compliqué, divertissant, dynamique, éducatif, ennuyeux, excellent, intelligent, intéressant, original, paisible, palpitant, passionnant, sain, sérieux. *Faire, inventer, organiser un jeu; jouer, participer, se mêler à un jeu.* □(<u>sport</u>) agressif, brutal, défensif, déloyal, dur, efficace, habile, intelligent, offensif, rapide, rude, serré, spectaculaire, violent, viril. *Pratiquer un* jeu *(+ adjectif).* □(<u>jeu vidéo</u>) *Jouer à un* jeu vidéo; *créer, installer, lancer, programmer, télécharger un* jeu vidéo.

JEUNE ambitieux, amorphe, branché, brave, difficile, doué, dynamique, écervelé, étourdi, fier, fougueux, fringant, inexpérimenté, insouciant, naïf, rebelle, responsable, révolté, sérieux, sympathique, talentueux, timide, turbulent, violent.

JEUNESSE aisée, ambitieuse, branchée, choyée, comblée, confortable, excitante, insouciante, joyeuse, merveilleuse, misérable, modèle, monotone, mouvementée, normale, oisive, paisible, pauvre, privilégiée, prolongée, rebelle, révoltée, rude, sage, saine, sérieuse, solitaire, studieuse, tourmentée, triste. *Avoir, connaître, passer, vivre une jeunesse (+ adjectif); gâcher, perdre, retrouver sa jeunesse.* La jeunesse se fane, s'enfuit, s'envole.

JOIE apparente, brève, communicative, éclatante, évidente, excessive, fausse, imprévue, insensée, intense, mitigée, modérée, paisible, profonde, rayonnante, sincère, superficielle, totale, triomphante, véritable, visible, vive. *Avoir, causer, éprouver, manifester, montrer, procurer, ressentir de la joie; crier, éclater, hurler, sangloter de joie.* Une joie dure, éclate, explose, s'émousse.

JOUE (*s'emploie généralement au pluriel*) amaigries, creuses, flasques, flétries, lisses, maigres, molles, plissées, potelées, rentrées, ridées, rondes, tombantes. *Avoir des/les joues (+ adjectif).*

JOUET amusant, bruyant, compliqué, coûteux, dangereux, décoratif, divertissant, éducatif, enrichissant, éphémère, évolutif, fragile, idéal, ingénieux, intelligent, interactif, passif, pédagogique, populaire, robuste, silencieux, simple, solide. *Acheter, choisir, manipuler, offrir, recevoir, réparer un jouet; s'amuser avec un jouet.*

JOUEUR (féminin: **joueuse**) (*sport*) acharné, agressif, amateur, brutal, chevronné, clé, combatif, constant, débutant, doué, efficace, étoile, excellent, exceptionnel, expérimenté, frêle, indiscipliné, infatigable, intrépide, médiocre, minable, moyen, précoce, professionnel, prometteur, puissant, robuste, talentueux. □(*jeux de hasard*) acharné, chanceux, compulsif, enragé, incorrigible, malhonnête, occasionnel, passionné, repenti, ruiné.

JOUR décisif, fatidique, glorieux, heureux, héroïque, magnifique, marquant, mémorable, merveilleux, néfaste, normal, ordinaire, propice, terrible, tragique, triste.

JOURNAL intime, personnel, secret. *Écrire, publier, rédiger, tenir son journal.*

JOURNÉE agréable, chaude, ensoleillée, étouffante, fraîche, froide, glaciale, grise, idéale, magnifique, merveilleuse, parfaite, pluvieuse, radieuse, splendide, superbe, tiède, torride.

JUDO agressif, rude, spectaculaire. *Enseigner, pratiquer le judo; exceller en judo.*

JUNGLE claire, dense, envahissante, épaisse, fournie, humide, impénétrable, inexplorée, intacte, interminable, luxuriante, mystérieuse, profonde, protégée, sauvage, sombre, superbe, touffue, vaste, verdoyante, vierge. *Entrer, être perdu, pénétrer, s'aventurer dans une jungle.*

JUPE ajustée, ample, courte, croisée, démodée, droite, élégante, étriquée, étroite, évasée, froissée, large, légère, longue, lourde, moulante, plissée, serrée, simple, sobre, stricte *Enfiler, enlever, porter, retoucher, revêtir une jupe.*

JUS amer, désaltérant, énergétique, fade, frais, glacé, imbuvable, naturel, pur, rafraîchissant, savoureux, sucré.

K

KARATÉ athlétique, doux, élégant, puissant, rapide, rude, spectaculaire. *Apprendre, enseigner, pratiquer le* karaté*; s'initier au* karaté*.*

KAYAK effilé, étanche, frêle, insubmersible, léger, long, lourd, mince, plat, rigide, stable. *Diriger, manœuvrer, piloter un* kayak*.*

KLAXON faible, fort, hurlant, insistant, prolongé, puissant, rageur, sonore, strident. *Actionner, entendre un* klaxon*; appuyer, frapper sur le* klaxon*.* Un klaxon résonne, retentit, rugit.

L

LAC argenté, asséché, calme, dormant, énorme, gigantesque, immense, isolé, limpide, magnifique, majestueux, marécageux, miroitant, paisible, poissonneux, profond, pur, sauvage, tranquille, transparent, turquoise. *Naviguer sur un lac; traverser un lac.* Un lac brille, déborde, frissonne, miroite, ondule.

LAIDEUR affreuse, atroce, effroyable, épouvantable, extrême, horrible, incroyable, inouïe, monstrueuse, repoussante, répugnante, saisissante. *Être d'une laideur (+ adjectif).*

LAITUE croquante, défraîchie, fanée, feuillue, fraîche, touffue. *Couper, déchiqueter, égoutter, essorer, laver, nettoyer une laitue.*

LAMPE brillante, claire, clignotante, faible, fluorescente, forte, halogène, puissante. *Allumer, brancher, éteindre, installer une lampe.* Une lampe brille, clignote, éclaire, s'allume, s'éteint.

LANCER faible, foudroyant, fracassant, impeccable, piètre, puissant, rapide, raté, réussi, solide. *Effectuer, faire dévier un lancer.*

LANGAGE châtié, choisi, codé, cohérent, compréhensible, correct, courant, déplacé, expressif, familier, figé, flatteur, grossier, imagé, poétique, populaire, raffiné, relâché, relevé, usuel, vulgaire. *Adopter, comprendre, parler, posséder, utiliser un langage; corriger, raffiner, surveiller son langage.*

LANGUE (*anatomie*) blanche, empâtée, engourdie, épaisse, longue, menue, pâteuse, pendante, rugueuse, sèche. *Avoir une/la langue (+ adjectif).* □(*linguistique*) chantante, colorée, compliquée, coulante, difficile, dominante, dure, fluide, gutturale, incompréhensible, morte, musicale, originale, pauvre, pittoresque, pure, riche, rythmée, savoureuse, soignée, universelle, usuelle, vivante. *Apprendre, baragouiner, comprendre, connaître, enrichir, maîtriser, parler, pratiquer, savoir, utiliser une langue; s'exprimer dans une langue (+ adjectif).*

LAPIN (féminin : **lapine**) affamé, agile, dodu, énergique, famélique, gras, paisible, trapu. Un lapin bondit, grignote, rumine; (*ses cris*) clapit, glapit.

LARGEUR anormale, considérable, démesurée, exagérée, excessive, extrême, impressionnante, limitée, proportionnée, raisonnable, réduite, standard, suffisante, totale, variable. *Augmenter, diminuer, mesurer la largeur; avoir, présenter une largeur (+ adjectif); être d'une largeur (+ adjectif).*

LARME (*s'emploie généralement au pluriel*) abondantes, amères, bienfaisantes, chaudes, désespérées, douces, fausses, heureuses, hypocrites, sincères, tendres, véritables. *Éclater, fondre en larmes; étouffer, ravaler, refouler, sécher, verser des/ses larmes.* Des larmes coulent, inondent, jaillissent, ruissellent.

LEÇON (*cours*) brève, efficace, excellente, instructive, pratique, rapide, théorique. *Apprendre, étudier, faire, préparer, repasser, réviser, revoir, savoir sa/ses leçon(s); donner, prendre, suivre des leçons.* □(*enseignement, morale*) amère, durable, efficace, enrichissante, exemplaire, inoubliable, méritée, rude, salutaire, sérieuse, sévère. *Donner, recevoir, tirer une leçon; servir de leçon.*

LECTEUR (féminin: **lectrice**) avide, boulimique, curieux, enthousiaste, fervent, fidèle, infatigable, insatiable, passionné, piètre, vorace.

LECTURE agréable, amusante, approfondie, assidue, attentive,

captivante, décevante, divertissante, ennuyeuse, enrichissante, favorite, indispensable, instructive, intensive, intéressante, monotone, passionnante, préférée, rapide, reposante, sélective, sérieuse, stimulante, utile. *Aimer, détester la lecture; continuer, faire, finir, terminer une lecture; plonger, s'absorber dans une lecture.*

LÉGENDE ancrée, captivante, contestée, enracinée, fabuleuse, fantaisiste, persistante, universelle, vivante. *Conter, créer, détruire, entretenir, inventer, raconter une légende.* Une légende naît, persiste, raconte.

LÉGUME biologique, cru, excellent, filandreux, frais, nourrissant, précoce, résistant, sain, savoureux, tardif. *Arracher, cueillir, cultiver, produire, récolter, sarcler des légumes.*

LÉOPARD agile, élancé, féroce, gracieux, sanguinaire, sournois, svelte. Un léopard attaque, bondit, dévore, rampe, rôde, s'élance, surgit; (*son cri*) miaule.

LESSIVE blanche, éclatante, impeccable, propre. *Effectuer, faire, faire sécher la lessive.*

LETTRE aimable, amicale, anonyme, banale, brève, chaleureuse, concise, décousue, émouvante, gentille, insignifiante, interminable, longue, officielle, passionnée, polie, respectueuse, rude, sèche, sérieuse, touchante, urgente. *Adresser, composer, envoyer, expédier, faire parvenir, griffonner, lire, poster, recevoir, rédiger, remettre, signer, transmettre une lettre.*

LÈVRE (*s'emploie généralement au pluriel*) brillantes, charnues, crevassées, douces, épaisses, fendues, fines, fraîches, gercées, gonflées, gourmandes, humides, minces, pâles, pulpeuses, rugueuses, sèches, sensuelles, serrées, violettes. *Mouiller, ouvrir, plisser, tendre les/ses lèvres se lécher, se maquiller, se mordre, se pincer, s'humecter les lèvres.*

LÉZARD énorme, étroit, fuyant, mince, minuscule, plat, rapide, souple. Un lézard s'agrippe, se faufile, s'enfuit, rampe.

LIBELLULE active, agile, agitée, brillante, curieuse, élégante, énorme, étincelante, gracieuse, légère, menue, scintillante, vive. *Admirer, attraper, contempler une libellule.* Une libellule furète, s'enfuit, se pose, voltige, zigzague.

LIBERTÉ absolue, chère, complète, définitive, durable, exagérée, exceptionnelle, excessive, extrême, parfaite, partielle, pleine, précieuse, progressive, provisoire, relative, restreinte, retrouvée, surveillée, totale, véritable, vraie. *Accorder, compromettre, consentir, enlever, goûter, limiter, menacer, ôter, perdre, prendre, rendre, retrouver, supprimer la/sa liberté; rêver de liberté.*

LICENCIEMENT abusif, collectif, illégitime, immédiat, individuel, justifié, massif, personnel. *Annoncer, contester, effectuer, pratiquer, subir un licenciement; menacer d'un licenciement; procéder à un licenciement; protester contre un licenciement.*

LIEU accessible, accueillant, achalandé, agréable, animé, caché, calme, charmant, convenable, dangereux, désert, discret, éclairé, élégant, enchanteur, exceptionnel, exquis, fascinant, idéal, insalubre, insolite, isolé, magique, malsain, minable, miteux, mystérieux, paisible, paradisiaque, ravissant, reculé, reposant, réputé, sauvage, secret, sombre, sûr, tranquille, unique. *Chercher, choisir, explorer, fréquenter, fuir, inspecter, visiter un lieu.*

LIÈVRE (féminin: hase) affamé, agile, énergique, famélique, ner-

veux, trapu, vif. Un lièvre bondit, broute, détale; (*son cri*) vagit.

LIMITE claire, convenable, évidente, extrême, intolérable, nette, précise, raisonnable, restreinte, rigide, rigoureuse, souple, stricte, variable. *Définir, dépasser, déterminer, établir, fixer, franchir, imposer, marquer, observer, préciser, respecter, toucher une/des limite(s).*

LINGE déchiré, doux, fin, humide, immaculé, propre, rugueux, sec, souillé. *Essorer, étendre, faire sécher, laver, repasser, rincer, tordre le linge; essuyer, frotter avec un linge.*

LION (féminin: lionne) famélique, féroce, imposant, majestueux, puissant, sanguinaire, sournois. Un lion attaque, bondit, dévore, rôde, s'élance, surgit; (*ses cris*) grogne, rugit.

LIQUIDE bouillant, chaud, clair, coloré, épais, froid, glacé, huileux, incolore, inflammable, inodore, limpide, tiède, transparent, visqueux. Un liquide bout, clapote, coule, gicle, jaillit, ruisselle, s'écoule, s'évapore.

LISTE brève, complète, courte, définitive, détaillée, évolutive, exacte, exhaustive, impression-nante, interminable, longue, partielle, précise, provisoire, sélective, sommaire.** *Consulter, créer, dresser, établir, faire, fournir, parcourir, rédiger une liste.* Une liste grossit, s'allonge, s'éternise.

LIT confortable, défait, défoncé, douillet, doux, dur, étroit, froid, glacé, moelleux, mou, spacieux, tiède. *Coucher, dormir, se glisser, se prélasser dans un lit; garder le lit; s'allonger, se jeter, se rouler, s'étendre, se vautrer sur un lit; sauter, sortir du lit.*

LIVRE (*son contenu*) amusant, brillant, captivant, compliqué, décevant, drôle, ennuyeux, fastidieux, hilarant, indispensable, instructif, merveilleux, monotone, mystérieux, original, passionnant, populaire, prenant, simple. □(*son état*) amoché, ancien, austère, écorné, esquinté, illustré, léger, lourd, luxueux, mince, neuf, rogné, taché, usé, volumineux. *Apprécier, commander, commencer, composer, consulter, dénicher, dévorer, écrire, égarer, emprunter, feuilleter, lire, offrir, publier, se procurer un livre.* Un livre paraît, sort.

LOCAL aéré, bondé, clair, désaffecté, disponible, encombré, ensoleillé, exigu, immense, infect, inoccupé, insalubre,

minuscule, moderne, poussiéreux, sombre, spacieux, vaste, vide. *Aménager, chercher, entretenir, nettoyer, trouver un local.*

LOGEMENT calme, clair, confortable, convenable, coquet, décent, disponible, douillet, élégant, équipé, fonctionnel, insalubre, luxueux, meublé, minable, misérable, miteux, modeste, provisoire, rudimentaire, sombre, somptueux, spacieux, superbe, vacant, vaste. *Avoir, posséder un logement (+ adjectif); chercher, habiter, rénover, trouver un logement; disposer d'un logement (+ adjectif).*

LOGICIEL incompatible, interactif, performant, puissant. *Concevoir, copier, élaborer, faire, installer, mettre au point, pirater, réaliser, télécharger, utiliser un logiciel.*

LOI absurde, bizarre, claire, compliquée, contraignante, controversée, dure, efficace, équitable, flexible, imparfaite, incontournable, juste, permissive, restrictive, rigoureuse, sage, sévère, souple, stricte, utile. *Abolir, adopter, appliquer, assouplir, braver, déjouer, enfreindre, imposer, instaurer, modifier, observer, respecter, suivre une/des loi(s).* Une loi autorise, défend, dit, exige, interdit, oblige, ordonne, permet, s'applique.

LOISIR agréable, captivant, coûteux, divertissant, ennuyeux, passionnant, populaire, sain. *Avoir, prendre des loisirs; jouir, profiter de ses loisirs; occuper, organiser, planifier les/ses loisirs.*

LONGUEUR adéquate, appropriée, approximative, exacte, exagérée, fixe, habituelle, limitée, précise, respectable, suffisante, totale. *Avoir une longueur (+ adjectif); être d'une longueur (+ adjectif).*

LOUP (féminin: **louve**) affamé, amaigri, efflanqué, féroce, gourmand, grégaire, rusé, solitaire. Un loup dévore, mange, rôde; (**son cri**) hurle.

LUEUR aveuglante, brève, brusque, éblouissante, faible, forte, intense, lointaine, sombre, tremblante, vague, vive. *Jeter, percevoir, produire une lueur.* Une lueur brille, éclaire, jaillit, se lève, se répercute, tremble, vacille.

LUGE chargée, légère, lourde, rapide. *Faire avancer, pousser, tirer, traîner une luge.* Une luge file, glisse.

LUMIÈRE aveuglante, brillante, brutale, clignotante, crue, dense, directe, discrète, douce, éblouissante, éclatante, faible, forte, incommodante, intense, intermittente, lointaine, naturelle, réfléchie, reposante, scintillante, sombre, violente, vive, voilée. *Apercevoir, baisser, éteindre, ouvrir, tamiser une/la* lumière*; émettre, faire, projeter de la* lumière. Une lumière aveugle, clignote, éblouit, éclaire, faiblit, inonde, jaillit, scintille, se répand.

LUNE argentée, brillante, claire, éclatante, haute, nouvelle, pleine, resplendissante, voilée. *Contempler, observer, regarder la* lune. La lune brille, croît, décroît, disparaît, se cache, se dégage, se montre, se voile, surgit.

LUNETTES austères, discrètes, énormes, épaisses, extravagantes, fines, fortes, fumées, immenses, larges, minuscules, profilées, sévères, simples, teintées. *Ajuster, casser, chausser, enlever, mettre, ôter, porter, retirer ses* lunettes.

LUXE choquant, discret, éblouissant, écrasant, étourdissant, exceptionnel, excessif, extravagant, immodéré, indécent, inimaginable, inouï, raffiné, ruineux, scandaleux, suprême. *Afficher, déployer, étaler un* luxe *(+ adjectif); bénéficier, jouir, être d'un* luxe *(+ adjectif).*

M

MACHINE bruyante, défectueuse, efficace, fragile, impressionnante, ingénieuse, lente, moderne, performante, polyvalente, puissante, rapide, rudimentaire, silencieuse, simple, sophistiquée, vétuste. *Actionner, arrêter, entretenir, essayer, mettre au point, perfectionner, régler, réparer, utiliser une machine.* Une machine démarre, est hors d'usage, fonctionne, marche, s'affole, tombe en panne.

MÂCHOIRE allongée, carrée, crispée, édentée, empâtée, endolorie, étroite, forte, large, pendante, proéminente, tendue, tombante, volontaire. *Avoir la mâchoire (+ adjectif); relâcher la mâchoire; serrer les/ses mâchoires.*

MAGASIN achalandé, alléchant, chic, dégarni, élégant, encombré, luxueux, rénové, réputé, sophistiqué, spécialisé, traditionnel, vaste. *Approvisionner, diriger, fermer, gérer, inaugurer, installer, moderniser, ouvrir, rénover, tenir un magasin; courir, faire les magasins.* Un magasin ferme ses portes, ouvre, prospère.

MAGICIEN (féminin: **magicienne**) bienfaisant, doué, habile, maléfique, puissant, rusé, talentueux.

MAGIE blanche, démoniaque, envoûtante, étonnante, féerique, humoristique, noire, scientifique, secrète, simple, subtile. *Croire en la magie; développer, employer, faire, pratiquer, utiliser une/de la magie; recourir, s'adonner à la magie.*

MAIGREUR alarmante, anormale, effroyable, élégante, excessive, extrême, famélique, horrible, impressionnante, inimaginable, inouïe, inquiétante, maladive, rachitique, repoussante, squelettique, surprenante. *Être d'une maigreur (+ adjectif).*

MAIN agile, assurée, bouffie, crevassée, décharnée, déformée, délicate, douce, endurcie, énorme, ferme, fine, gercée, gonflée, grossière, immense, large, longue, maigre, meurtrie, mince, minuscule, molle, musclée, potelée, rêche, ridée, rugueuse, sèche, souillée, tendue, tremblante, vigoureuse. *Avoir la main (+ adjectif); donner, lever, s'écorcher, se frotter, se laver, se protéger, se salir, se serrer, se soigner, s'essuyer la/les main(s).*

MAISON abandonnée, accueillante, ancienne, austère, confortable, coquette, cossue, délabrée, élégante, hantée, idéale, imposante, impressionnante, inhabitée, insalubre, isolée, luxueuse, misérable, modeste, ravissante, rêvée, riche, rudimentaire, rustique, sinistre, solitaire, sombre, somptueuse, spacieuse, superbe, triste. *Agrandir, aménager, cambrioler, construire, décorer, démolir, détruire, habiter, occuper, posséder, quitter, rénover, restaurer, saccager, visiter une* maison; *demeurer, s'installer, vivre dans une* maison. Une maison se dresse, s'élève.

MALADE abattu, agité, alité, amaigri, angoissé, blême, capricieux, contagieux, courageux, décharné, délirant, désespéré, docile, épuisé, exigeant, exténué, faible, impatient, infectieux, souffrant. *Ausculter, examiner, isoler, opérer, panser, sauver, sécuriser, soigner, soulager, surveiller, traiter, veiller un* malade. Un malade décline, délire, dépérit, garde le lit, gémit, guérit, se maintient, se remet, végète.

MALADIE affreuse, atroce, contagieuse, douloureuse, étrange, fatale, foudroyante, fréquente, grave, inconnue, incurable, inguérissable, longue, mortelle, mystérieuse, pénible, rare, sérieuse, sournoise, terrible, transmissible, virulente. *Attraper, avoir, combattre, contracter, couver, détecter, diagnostiquer, guérir, prévenir, soigner, traiter, vaincre une/la* maladie; *lutter, se battre contre une/la* maladie; *se remettre, souffrir, triompher d'une/de la* maladie. Une maladie couve, éclate, frappe, guérit, persiste, progresse, régresse, s'attrape, se déclare, se développe, se propage, s'installe.

MALENTENDU affreux, banal, énorme, entretenu, fâcheux, grave, incroyable, irréparable, mineur, navrant, passager, persistant, profond, regrettable. *Causer, éclaircir, engendrer, entretenir, éviter, faire cesser, prévenir un* malentendu. Un malentendu dure, se dissipe, se produit, se prolonge, s'installe, subsiste.

MALHEUR affreux, cruel, épouvantable, extrême, horrible, immense, immérité, inévitable, insupportable, irrémédiable, irréparable, terrible. *Annoncer, causer, craindre, éprouver, éviter, occasionner, pressentir, prévenir, supporter un* malheur. Un malheur a lieu, frappe, se produit.

MALNUTRITION aiguë, catastrophique, grave, importante, sévère. *Éliminer, réduire la* malnutrition; *lutter contre la* malnutrition; *mourir, souffrir de* malnutrition. La malnutrition s'aggrave, se répand.

MALPROPRETÉ dégoûtante, extrême, incroyable, inimaginable, insupportable, repoussante, répugnante. *Être d'une malpropreté (+ adjectif).*

MANIE agaçante, bizarre, déplaisante, désagréable, étrange, inavouable, incorrigible, irritante, passagère, persistante, vilaine. *Avoir, combattre une manie; se débarrasser d'une manie.* Une manie cesse, disparaît, s'attrape, se perd.

MANIFESTATION bruyante, calme, discrète, énorme, festive, gigantesque, importante, impressionnante, improvisée, interdite, joyeuse, monstre, mouvementée, pacifique, populaire, sanglante, sauvage, tragique, tumultueuse, violente. *Disperser, interdire, organiser, préparer, suivre une manifestation; participer, se joindre à une manifestation.* Une manifestation éclate, dégénère, se déroule, se disperse, s'improvise.

MANQUE apparent, complet, criant, déplorable, énorme, évident, fréquent, important, incompréhensible, inquiétant, momentané, sérieux, total. *Causer, combler, compenser, constater, ressentir un manque; être en manque.*

MANTEAU ajusté, ample, chaud, chic, cintré, confortable, court, défraîchi, délabré, démodé, élégant, élimé, étroit, fatigué, froissé, léger, long, lourd, misérable, pelé, râpé, serré, sobre, somptueux, superbe. *Boutonner, enfiler, enlever, porter, revêtir, suspendre un/son manteau; être vêtu d'un manteau; s'emmitoufler, s'envelopper dans son manteau.*

MANUEL complet, concis, énorme, épais, illustré, léger, lourd, mince, pratique, précieux, sérieux, simple, volumineux. *Consulter, feuilleter, lire un manuel.*

MAQUILLAGE agressif, dégoulinant, délicat, discret, doux, étincelant, étudié, excessif, fin, impeccable, léger, lourd, naturel, parfait, prononcé, raté, réussi, simple, sobre, soigné, subtil, violent. *Exécuter, faire, porter, rafraîchir, réaliser, retoucher un/son maquillage.*

MARCHE accélérée, assurée, forcée, lente, modérée, précipitée, rapide, régulière, rythmée, soutenue. *Accélérer, précipiter, presser, ralentir la/sa marche.*

MARCHÉ animé, bondé, bruyant, coloré, couvert, fréquenté, gigantesque, immense, pittoresque, vaste. *Faire le/son marché; acheter, aller, vendre au marché.* Un marché a lieu, se tient.

MARCHEUR (féminin: **marcheuse**) débutant, entraîné, excellent, expérimenté, inépuisable, infatigable, lent, médiocre, moyen, occasionnel, piètre, rapide, régulier, solitaire.

MARI affectueux, amoureux, attentionné, brutal, convenable, délicat, empressé, exemplaire, fidèle, idéal, jaloux, modèle, parfait, passionné, soumis, trompé, volage. *Adorer, aimer, quitter son mari; chercher, choisir, trouver un mari.*

MARIAGE (*union*) arrangé, boiteux, brisé, chancelant, désastreux, forcé, harmonieux, heureux, précoce, raté, réussi, tardif. *Annuler, bénir, briser, contracter, empêcher un mariage.* □(*cérémonie*) clandestin, fastueux, grand, intime, secret, simple, somptueux, superbe. *Aller, assister, procéder à un mariage; célébrer, faire, retarder un mariage.*

MARQUE discrète, indélébile, ineffaçable, invisible, large, longue, nette. *Avoir, effacer, enlever, faire, laisser, porter une marque.*

MATCH acharné, amical, animé, brutal, calme, captivant, crucial, décevant, décisif, désorganisé, dur, exceptionnel, important, intéressant, interminable, loyal, médiocre, monotone, mouvementé, nul, passionnant, rapide, rude, serré, spectaculaire, tendu, truqué, violent. *Arbitrer, commenter, décommander, disputer, gagner, interrompre, jouer, perdre, perturber, remporter, voir un match; assister à un match; s'entraîner pour un match.*

MATELAS confortable, doux, dur, épais, mince, moelleux, mou. *Retourner, rouler, taper un matelas.*

MATIÈRE (*scolaire*) approfondie, aride, captivante, clé, complexe, essentielle, fondamentale, inépuisable, intéressante, obligatoire, rébarbative, rebutante, variée, vaste. *Approfondir, enseigner, maîtriser, réviser une matière.* □(*substance*) absorbante, brillante, brute, collante, douce, dure, épaisse, flexible, friable, gluante, grasse, inflammable, isolante, molle, opaque, précieuse, rare, résistante, sèche, souple, translucide. *Fabriquer, transformer, travailler une matière.*

MATIN blême, brumeux, clair, ensoleillé, frais, froid, glacial, nuageux, sombre, splendide, tiède. Le matin arrive, se lève.

MATINÉE brumeuse, ensoleillée, fraîche, froide, obscure, radieuse, sereine, splendide.

MÉCANISME adapté, astucieux, complexe, délicat, ingénieux, perfectionné, robuste, rodé, simple, solide, sophistiqué. *Améliorer, briser, démonter, régler un mécanisme.* Un mécanisme se détraque, se brise.

MÉDAILLE *Décerner, gagner, obtenir, porter, rafler, recevoir, remettre une/des médaille(s).*

MÉDECIN brillant, célèbre, compétent, efficace, éminent, excellent, expéditif, expérimenté, remarquable, renommé, réputé, spécialisé. *Consulter, voir un médecin.* Un médecin ausculte, fait un diagnostic, opère.

MÉDICAMENT anodin, approprié, calmant, doux, efficace, éprouvé, fiable, indispensable, infaillible, miraculeux, néfaste, puissant, salutaire, spécifique, sûr, violent. *Absorber, administrer, donner, fabriquer, injecter, inventer, prendre, prescrire, tolérer un médicament.*

MÉLODIE entraînante, envoûtante, joyeuse, languissante, mélancolique, monotone, rythmée. *Chanter, composer, fredonner une mélodie.*

MÉMOIRE chancelante, colossale, courte, défaillante, éléphantesque, exacte, excellente, exceptionnelle, fidèle, impressionnante, infaillible, parfaite, phénoménale, précise, rebelle, rouillée, sélective, sûre, vive. *Avoir, posséder une mémoire (+ adjectif); consulter, cultiver, développer, entretenir, exercer la/sa mémoire; enregistrer, fouiller, garder, graver dans sa mémoire; se rafraîchir la mémoire.* Une mémoire flanche, hésite, vacille.

MENACE claire, constante, incessante, lourde, persistante, sérieuse, vague, véritable, voilée. *Adresser, exprimer, faire, renfermer, représenter une menace.* Une menace plane, se concrétise, se précise, s'estompe, subsiste.

MENDIANT (féminin: **mendiante**) chétif, déguenillé, en haillons, famélique, malodorant, minable, miséreux, pouilleux. Un mendiant erre, vagabonde.

MENSONGE banal, effroyable, énorme, gigantesque, grave, injustifiable, maladroit, pieux. *Commettre, dire, improviser, inventer, raconter un mensonge.*

MENTON anguleux, avancé, carré, étroit, fin, fourchu, gras, obstiné, poilu, pointu, proéminent, recourbé, rentré, rond. *Baisser, lever, redresser le menton.*

MENU abondant, alléchant, créatif, équilibré, exquis, raffiné, recommandé, simple, soigné, somptueux, varié. *Composer, préparer, soigner un menu; demander, consulter, étudier, parcourir le menu.*

MER agitée, basse, bleue, calme, capricieuse, déchaînée, furieuse, haute, houleuse, immobile, infinie, menaçante, navigable, poissonneuse, profonde, rugissante, tourmentée, tranquille, transparente, turquoise, verte. *Être, naviguer, pêcher, périr, voyager en mer.* La mer clapote, déferle, gronde, miroite, mugit, s'agite, s'apaise, se calme, se retire.

MÈRE affectueuse, aigrie, aimante, attentive, autoritaire, compétente, consolatrice, criarde, dévouée, dominatrice, douce, envahissante, excellente, exemplaire, idéale, irréprochable, négligente, parfaite, possessive, sécurisante, stricte, tendre.

MERLE bavard, bruyant, fier. Un merle chante, fait son nid, nourrit ses petits, sautille, s'enfuit, vole; (*ses cris*) babille, flûte, siffle.

MESSAGE accablant, confus, convaincant, déroutant, dissuasif, négatif, positif, rassurant, sérieux, urgent. *Acheminer, adresser, communiquer, confier, consulter, envoyer, intercepter, lire, recevoir, transmettre un message.*

MÉTÉO (ou **météorologie**) affreuse, agitée, calme, changeante, clémente, déprimante, exceptionnelle, favorable, fraîche, idéale, imprévisible, incertaine, maussade, menaçante, orageuse, pluvieuse, pourrie, stable, tourmentée, venteuse. *Consulter, écouter la météo. La météo menace, s'améliore, se dégrade, se réchauffe.*

MÉTHODE appropriée, ardue, connue, contestée, dépassée, efficace, éprouvée, infaillible, rigoureuse, rodée, simple, sophistiquée, souple, unique. *Adopter, améliorer, découvrir, développer, élaborer, inventer, pratiquer, suivre, trouver une méthode.*

MÉTIER accaparant, difficile, ennuyeux, exigeant, fatigant, ingrat, intéressant, passionnant, pénible, prenant, prestigieux, risqué, rude, utile. *Abandonner, apprendre, exercer, pratiquer un métier.*

METS appétissant, apprécié, délicat, délicieux, épicé, exquis, fade, fin, léger, lourd, nourrissant, raffiné, relevé, sain, salé, savoureux, simple, succulent, sucré. *Apprêter, cuire, savourer un mets.*

MEUBLE antique, boiteux, confortable, dépareillé, élégant, encombrant, indispensable, inutile, laid, léger, massif, précieux, rustique, solide, travaillé, vétuste, vieux, volumineux. *Agencer, confectionner, déménager, déplacer, fabriquer, monter, nettoyer, rafistoler, ranger, restaurer un meuble.*

MEURTRE accidentel, commandé, affreux, atroce, crapuleux, gratuit, intentionnel, involontaire, odieux, parfait, passionnel, prémédité, sanglant, sauvage, sordide, suspect. *Commettre, élucider, maquiller, ordonner, planifier un meurtre; être accusé/ innocenté d'un meurtre; être condamné pour meurtre.* Un meurtre a lieu, se produit.

MIAULEMENT agressif, aigu, angoissé, clair, court, désespéré, doux, furieux, insupportable, léger, long, perçant, plaintif, prolongé, rageur, rauque, strident. *Émettre, entendre, laisser échapper, pousser un miaulement.* Un miaulement retentit, se fait entendre.

MISÈRE affreuse, cachée, criante, évidente, extrême, humiliante, imméritée, insupportable, intolérable, noire, profonde, réelle, tragique, vraie. *Connaître, exploiter, fuir, subir, supprimer, vaincre la misère; s'enfoncer, sombrer, vivre dans la misère; sortir de la misère.* La misère règne, s'amplifie, se perpétue, s'installe.

MISSION ardue, dangereuse, délicate, désagréable, ingrate, lourde, mystérieuse, pénible, précise, ratée, réussie, secrète. *Accepter, accomplir, assigner, confier, donner, effectuer, entreprendre, réaliser, refuser une mission; être envoyé, partir en mission.* Une mission échoue, réussit.

MODE capricieuse, coûteuse, décontractée, élégante, éphémère, excentrique, extravagante, imaginative, passagère, répandue, ridicule, sage, simple, sophistiquée. *Devancer, devenir, innover, introduire, inventer, lancer, promouvoir, répandre, suivre une/ la mode; se conformer, se mettre, s'habiller à la mode.* Une mode fait fureur, passe, prend, revient, se répand.

MODIFICATION brusque, brutale, graduelle, importante, indispensable, insuffisante, légère, lente, minime, permanente, profonde, progressive, rapide, réelle, spectaculaire. *Apporter, effectuer, entraîner, faire, subir une/des modification(s)*. Une modification se produit, s'impose, s'opère, survient.

MOINEAU bagarreur, effronté, terne. Un moineau sautille, s'envole, se perche, voltige; (*son cri*) piaille.

MOISSON abondante, détruite, exceptionnelle, maigre, pauvre, riche, tardive. *Engranger, faire, récolter, rentrer la moisson.* La moisson approche, s'achève.

MOLLET athlétique, charnu, ferme, grêle, maigre, musclé, rond, tendu, velu.

MOMENT agréable, bref, crucial, décisif, difficile, douloureux, émouvant, éprouvant, favorable, grandiose, heureux, historique, idéal, important, inoubliable, intense, magique, marquant, mémorable, passionnant, pénible, précieux, précis, privilégié, propice, savoureux, stratégique, sublime. *Attendre, guetter, saisir, trouver un moment; passer, vivre un/des moment(s) (+ adjectif).*

MONDE barbare, changeant, civilisé, complexe, cruel, étrange, fascinant, féerique, fou, imagi-

naire, inaccessible, inconnu, inexploré, irréel, mystérieux, réel, unique, vaste, violent. *Changer, comprendre, découvrir, diriger, explorer, mener, parcourir, refaire, transformer le monde; vivre dans un monde (+ adjectif).*

MONSTRE abominable, affreux, colossal, déchaîné, destructeur, difforme, effrayant, effroyable, énorme, épouvantable, étrange, hideux, horrible, méchant, menaçant, sympathique, terrible, terrifiant. Un monstre apparaît, erre, surgit.

MONT abrupt, boisé, élevé, escarpé, géant, imposant, inaccessible, infranchissable, rocheux, sauvage. *Descendre, escalader, gravir, grimper un mont.* Un mont domine, pointe, se dresse, s'élève.

MONTAGNE abrupte, aplatie, aride, arrondie, dénudée, élevée, escarpée, immense, imposante, impressionnante, inaccessible, infranchissable, lointaine, majestueuse, minuscule, moyenne, pierreuse, pointue, raide, rude, verdoyante, vertigineuse. *Contourner, descendre, escalader, gravir, grimper une montagne.* Une montagne domine, se dresse, s'élève.

MONTANT astronomique, colossal, considérable, dérisoire, élevé, énorme, important, insignifiant, minime, total. *Chiffrer, estimer un montant.*

MONUMENT antique, célèbre, classé, énorme, gigantesque, grandiose, historique, imposant, impressionnant, majestueux, massif, modeste, prestigieux, sobre, trapu. *Dresser, ériger, inaugurer, restaurer, visiter un monument.* Un monument se dresse, s'élève.

MORSURE douloureuse, grave, infectée, mortelle, profonde, sanglante, venimeuse, vive. *Guérir, souffrir d'une morsure; subir une morsure.*

MORT accidentelle, affreuse, ambiguë, atroce, bouleversante, brusque, brutale, cruelle, douce, douloureuse, dramatique, foudroyante, glorieuse, héroïque, horrible, inexpliquée, instantanée, insupportable, lente, mouvementée, mystérieuse, naturelle, rapide, sanglante, stupide, tragique, triste, violente. *Accepter, affronter, attendre, braver, causer, craindre, entraîner, frôler, provoquer, risquer, se donner la mort.*

MOT adéquat, approprié, banal, étrange, familier, grossier, harmonieux, juste, obscène, populaire, recherché, savant, simple, vulgaire.

MOTEUR bruyant, défectueux, écologique, économique, efficace, encrassé, gourmand, increvable, irréparable, performant, polluant, puissant, silencieux. *Actionner, ajuster, bricoler, démarrer, entretenir, régler, remonter, réparer, vérifier un moteur.* Un moteur cale, chauffe, cogne, démarre, fonctionne, ronfle, ronronne, s'éteint, tombe en panne, tousse, vibre.

MOTO (ou **motocyclette**) énorme, étincelante, fiable, légère, lourde, puissante, rapide, rutilante, solide. *Aller, circuler, être à moto; conduire, piloter une moto; descendre d'une moto; être, monter sur une moto; faire de la moto.* Une moto démarre, file, s'arrête, vrombit.

MOUCHE harcelante, inoffensive, nonchalante, nuisible. *Attraper, chasser, écraser une mouche.* Une mouche bourdonne, s'enfuit, se pose, tourbillonne, vrombit, zigzague.

MOUFFETTE apprivoisée, malodorante, sauvage. Une mouffette arrose, asperge, pue.

MOUSTACHE broussailleuse, courte, drue, effilée, énorme, épaisse, fine, fournie, frisée, immense, longue, naissante, pendante, raide, rasée, ridicule, rugueuse, soyeuse, taillée, tombante, touffue. *Avoir, porter, se laisser pousser une/la moustache; couper, lisser, retrousser, tailler, tortiller, tripoter sa/ses moustache(s).*

MOUSTIQUE agressif, dangereux, inoffensif, nonchalant, nuisible, utile. *Être dévoré/mangé par les moustiques.* Un moustique bourdonne, s'enfuit, se pose, tourbillonne, vrombit, zigzague.

MOUTON cornu, doux, frisé, laineux, paisible. *Élever, garder des moutons; tondre un mouton.* Un mouton broute, paît; (***son cri***) bêle.

MOUVEMENT accidentel, agile, agressif, brusque, brutal, doux, élégant, énergique, expressif, instinctif, involontaire, léger, lent, majestueux, maladroit, mécanique, naturel, nerveux, paresseux, précipité, précis, souple, spontané, timide. *Effectuer, exécuter, faire, maîtriser, suivre un mouvement.*

MOYEN convenable, dangereux, désespéré, efficace, étrange, extrême, fiable, garanti, habile, honnête, infaillible, ingénieux, inutile, loyal, original, pratique, privilégié, radical, raffiné, rapide, simple, sophistiqué, subtil. *Chercher,* employer, imaginer, inventer, prendre, suggérer, trouver, utiliser un/des moyen(s); être dépourvu, manquer de moyens; se servir, user d'un moyen (+ adjectif).

MUGISSEMENT assourdissant, effroyable, énorme, épouvantable, grave, incompréhensible, lointain, plaintif, profond, prolongé, puissant, rauque, retentissant, terrible, tremblotant. *Émettre, entendre, pousser un/des mugissement(s).* Un mugissement faiblit, monte, se fait entendre.

MUR bas, commun, crevassé, décrépit, défraîchi, délabré, droit, écroulé, élevé, épais, fissuré, haut, imposant, infranchissable, mince, penché, rugueux, solide. *Abattre, construire, démolir, élever, ériger, rafraîchir, réparer un mur; s'adosser, s'appuyer contre un mur.* Un mur s'écroule, se dresse, s'effondre, s'élève.

MUSCLE (*s'emploie généralement au pluriel*) détendus, développés, douloureux, durs, endoloris, énormes, fermes, flasques, herculéens, mous, puissants, tendus. *Raffermir, réchauffer, relaxer, tendre les/ses muscles; se déchirer, s'étirer, se raffermir les muscles.* Des muscles s'ankylosent, se développent, se gonflent, se raidissent, se tendent.

MUSEAU allongé, aplati, conique, court, droit, effilé, élancé, étroit, fin, humide, large, lisse, long, massif, mince, moyen, plat, pointu, proéminent, retroussé, robuste, rugueux, volumineux *Allonger, dresser, lever, se lécher, tendre le museau; avoir, posséder un museau (+ adjectif).*

MUSÉE célèbre, étonnant, gigantesque, grandiose, important, imposant, impressionnant, interactif, intéressant, magnifique, original, passionnant, pauvre, prestigieux, remarquable, riche, somptueux, spacieux, superbe, surprenant, vaste, vétuste. *Créer, enrichir, inaugurer, installer, visiter, voir un musée.*

MUSIQUE agréable, agressive, cacophonique, calme, criarde, dynamique, endiablée, enlevée, ennuyeuse, entraînante, exquise, harmonieuse, irritante, joyeuse, lancinante, légère, lente, mélodieuse, monotone, passionnée, populaire, rapide, relaxante, reposante, romantique, rythmée, tapageuse, vibrante, voluptueuse. *Adorer, apprécier, pratiquer la musique; composer, diffuser, écouter, enregistrer, faire, interpréter, jouer de la musique.* Une musique commence, envoûte, monte, plane, retentit, s'arrête, s'élève.

N

NAGEUR (féminin: **nageuse**) agile, amateur, assidu, avancé, débutant, épuisé, excellent, exceptionnel, expérimenté, gracieux, infatigable, médiocre, olympique, performant, piètre, professionnel, rapide, remarquable, vigoureux. Un nageur évolue, remonte à la surface, s'entraîne.

NAPPE brodée, déchirée, élégante, élimée, fine, fripée, froissée, immaculée, impeccable, magnifique, ouvrée, pauvre, pendante, propre, riche, souillée, tachée, trouée. Couvrir d'une nappe; enlever, étendre, mettre, ôter, plier, salir une nappe.

NARINE (s'emploie généralement au pluriel) bouchées, délicates, dilatées, énormes, évasées, fines, larges, luisantes, minces, minuscules, proéminentes, retroussées. Avoir des narines (+ adjectif); se chatouiller, se dilater, se boucher, se curer, se pincer les narines. Des narines bougent, frémissent, palpitent, se dilatent, se resserrent.

NASEAU (s'emploie généralement au pluriel) allongés, délicats, écumants, évasés, fins, frémissants, fumants, humides, larges, longs, palpitants. Avoir des naseaux (+ adjectif). Des naseaux frémissent, fument, reniflent, se dilatent, se pincent.

NATATION dynamique, élégante, laborieuse, sportive, vigoureuse. Apprendre, enseigner, pratiquer la natation; faire de la natation; s'initier à la natation.

NATION avancée, barbare, civilisée, cultivée, défavorisée, évoluée, fière, florissante, fragile, pacifique, populeuse, productrice, prospère, respectable, unie. Bâtir, conquérir, envahir, former, gouverner, piller, ruiner, saccager une nation.

NATURE aride, austère, diversifiée, exubérante, féconde, foisonnante, florissante, hostile, impressionnante, luxuriante, prodigieuse, pure, ravissante, riche, sauvage, spectaculaire, verdoyante, vierge. Admirer, contempler, découvrir, menacer, préserver, respecter, transformer la nature. La nature renaît, ressuscite, se déchaîne, se ranime, se réveille.

NAVIGATION agréable, aisée, aventureuse, dangereuse, délicate, hasardeuse, pénible, périlleuse, plaisante, solitaire. Pratiquer la navigation.

NAVIRE englouti, enlisé, énorme, gigantesque, immense, immobilisé, insubmersible, luxueux, naufragé, princier. Amarrer, commander, conduire, construire, *mouiller, piloter un navire.* Un navire accoste, coule, démarre, échoue, entre au port, fait naufrage, lève l'ancre, navigue, s'amarre, se brise, s'enfonce, s'engloutit, s'enlise, sombre, tangue, vogue.

NEIGE abondante, aveuglante, boueuse, collante, compacte, croûtée, damée, détrempée, durcie, éblouissante, étincelante, fine, floconneuse, folle, fondante, granuleuse, immaculée, légère, lourde, molle, mouillante, parfaite, poudreuse, rugueuse, sale, scintillante, souillée, verglacée, volage. *Enlever, pelleter la neige; être enseveli sous la neige; marcher, patauger, s'enfoncer, se rouler, trébucher dans la neige.* La neige brille, cesse, couvre, durcit, fond, s'accumule, s'entasse, tombe, tourbillonne.

NETTOYAGE bref, complet, constant, continuel, efficace, général, intense, léger, long, maniaque, médiocre, méticuleux, minutieux, périodique, soigné, sommaire. *Effectuer, faire, réaliser un nettoyage; procéder à un nettoyage.*

NEZ affreux, allongé, aplati, aquilin, arrondi, bossu, boutonneux, brillant, court, délicat, droit, écrasé, effilé, énorme, épais, étroit, évasé, fin, large, long, mignon, mince, plat, pointu, proéminent, ravissant, régulier, retroussé, rond, tombant, violacé. *Lever, se boucher, se curer, se frotter, se gratter le nez.*

NID cotonneux, creux, douillet, moussu. *Bâtir, cacher, confectionner, construire, découvrir, façonner, tisser un nid; tomber du nid.*

NŒUD coulant, double, entremêlé, ferme, lâche, multiple, ordinaire, serré, simple. *Attacher, faire, nouer, serrer un nœud.*

NOIR bleuté, brillant, d'ébène, intense, luisant, mat, métallique, poussiéreux, profond, terne.

NOM affreux, banal, bizarre, compliqué, courant, distinctif, distingué, évocateur, familier, faux, inédit, original, particulier, prestigieux, rare, ravissant, rébarbatif, ridicule, savant, simple, unique, usé, usuel, vague. *Déformer, dire, donner, écorcher, graver, ignorer, indiquer, inscrire, oublier, porter, prononcer, proposer, trouver un/son nom.*

NOMBRE approximatif, arrondi, astronomique, colossal, considérable, déterminé, élevé, excessif, important, incalculable, limité, modeste, précis, record, remarquable, spectaculaire, suffisant. *Atteindre, augmenter, compter, déterminer, diminuer, évaluer, fixer, limiter, restreindre un/des nombre(s)*. Un nombre augmente, chute, diminue, évolue, grossit, régresse.

NOTE (*évaluation*) acceptable, catastrophique, déplorable, désastreuse, élevée, exceptionnelle, faible, généreuse, honorable, indulgente, médiocre, moyenne, parfaite, passable. *Attribuer, donner, mettre, obtenir une note.* □ (*musique*) accentuée, aiguë, appuyée, basse, claire, cristalline, dominante, fausse, frêle, grave, haute, juste, légère, martelée, soutenue. *Allonger, émettre, escamoter, fausser, jouer, sauter, tenir une note.* Des notes s'égrènent, se succèdent.

NOURRITURE abondante, acceptable, allégée, appétissante, avariée, congelée, correcte, délicieuse, épicée, exquise, fade, grasse, infecte, légère, lourde, monotone, nutritive, pauvre, raffinée, relevée, riche, saine, savoureuse, simple, variée. *Apprêter, préparer la nourriture ; s'empiffrer, se priver de nourriture.*

NOUVELLE agréable, banale, bouleversante, choquante, déprimante, désastreuse, détaillée, encourageante, épouvantable, erronée, excellente, fausse, fraîche, horrible, importante, invraisemblable, joyeuse, navrante, officielle, rassurante, réjouissante, renversante, sensationnelle, sûre, surprenante, tragique, triste, vraie. *Annoncer, apprendre, attendre, communiquer, confirmer, divulguer, ébruiter, grossir, lancer, propager, savoir une/des nouvelle(s).* Une nouvelle éclate, s'ébruite, se confirme, se répand.

NUAGE cotonneux, dense, échevelé, énorme, épais, errant, floconneux, gigantesque, immense, immobile, léger, menaçant, moutonneux, orageux, passager, pluvieux, rapide, vagabond. *Chasser, percer les nuages ; être chargé/couvert de nuages.* Des nuages courent, crèvent, disparaissent, moutonnent, passent, se dispersent, se dissipent, s'effilochent, se forment, s'étirent.

NUIT affreuse, agitée, agréable, blanche, calme, chaude, claire, courte, délicieuse, étoilée, étouffante, fraîche, froide, humide, longue, orageuse, paisible, pénible, pluvieuse, sereine, silencieuse, superbe. *Passer, vivre une nuit (+ adjectif).* La nuit arrive, avance, s'achève, s'annonce, tire à sa fin.

NUQUE affaissée, délicate, dénudée, effilée, élancée, épaisse, fine, flexible, forte, fragile, frêle, gracieuse, hâlée, longue, mince, raide, robuste, souple, tendue. *Allonger, courber, incliner, relever, renverser la nuque; avoir une nuque (+ adjectif).*

O

OBÉISSANCE automatique, aveugle, entière, exemplaire, feinte, fidèle, forcée, hypocrite, respectueuse, sincère, totale. *Exiger, manifester, montrer, vouer une* obéissance *(+ adjectif).*

OBÉSITÉ excessive, grave, légère, modérée, monstrueuse, naissante, normale, précoce, sérieuse, sévère, véritable. *Combattre, favoriser, prévenir, traiter, vaincre l'*obésité*; lutter contre l'*obésité*; souffrir d'*obésité*.*

OBJECTIF accessible, ambitieux, approximatif, élevé, impossible, modeste, précis, raisonnable, réalisable, réaliste. *Atteindre, avoir, définir, dépasser, énoncer, maintenir, réaliser, remplir, tenir, viser un* objectif*; parvenir, renoncer à un/son* objectif*.*

OBJET banal, encombrant, énorme, immense, imposant, léger, lourd, minuscule, précieux, recyclable.

OBLIGATION contraignante, écrasante, ennuyeuse, incontournable, insupportable, pénible, rigoureuse, stricte. *Accomplir, assumer, éviter, honorer, imposer, remplir, respecter une/ses* obligation(s)*.*

OBSTACLE dangereux, énorme, important, incontournable, iné-vitable, infranchissable, léger, majeur, mineur, sérieux, soudain, surmontable. *Affronter, contourner, éviter, franchir, rencontrer, surmonter, vaincre un/des* obstacle(s)*; se heurter à un* obstacle*.*

OBSTINATION bornée, constante, déroutante, exaspérante, excessive, inébranlable, insensée, tenace, têtue. *Manifester, montrer une* obstination *(+ adjectif); persister, s'enfermer, s'entêter dans une* obstination *(+ adjectif).*

OCCASION alléchante, avantageuse, excellente, exceptionnelle, importante, inattendue, inespérée, intéressante, privilégiée, providentielle, rêvée, sensationnelle, tentante, unique. *Attendre, chercher, guetter, manquer, perdre, rater, saisir, trouver une* occasion*; profiter d'une* occasion*; sauter, se précipiter sur une* occasion*. Une occasion s'en-vole, se présente, se renouvelle, s'offre, tarde.

OCCUPATION accaparante, constante, ennuyeuse, favorite, intéressante, lucrative, monotone, préférée, principale, rentable, saine. *Chercher, trouver une* occupation*; renoncer, retourner, s'adonner, vaquer à une/ses* occupation(s)*.*

OCÉAN agité, bleu, calme, immobile, infini, tumultueux, vaste. *Franchir, parcourir les océans; naviguer sur l'océan.* Un océan déferle, gronde, mugit, rugit.

ODEUR affreuse, agréable, anormale, appétissante, attirante, atroce, bizarre, dégoûtante, délicieuse, horrible, incommodante, infecte, légère, nauséabonde, parfumée, repoussante, répugnante, tenace. *Chasser, dégager, émettre, humer, masquer, sentir une odeur.* Une odeur disparaît, embaume, envahit, imprègne, s'atténue, s'échappe, se dissipe, se répand, s'estompe, s'évapore.

ODORAT aiguisé, délicat, développé, fin, infaillible, raffiné, sensible, subtil. *Avoir l'odorat (+ adjectif).*

ŒUF brouillé, cru, dur, farci, frais, frit, mollet, poché.

OFFENSIVE acharnée, brève, brusque, brutale, décisive, désespérée, énergique, furieuse, inattendue, manquée, puissante, ratée, risquée, rude, sournoise, stratégique, triomphante, vigoureuse, violente. *Arrêter, déclencher, essuyer, exécuter, freiner, lancer, subir, tenter une offensive.* Une offensive échoue, réussit.

OFFRE affriolante, alléchante, attractive, avantageuse, conditionnelle, définitive, désintéressée, exceptionnelle, ferme, inacceptable, insuffisante, intéressante, modeste, séduisante, sérieuse, sincère, spontanée, tentante. *Décliner, examiner, faire, manquer, présenter, refuser, rejeter une offre; profiter d'une offre; sauter sur une offre.*

OIE énorme, gigantesque, grosse, lourde. *Engraisser, gaver, plumer une oie.* Une oie se dandine; (**ses cris**) cacarde, caquette, criaille.

OISEAU bruyant, criard, fidèle, jaseur, matinal, mélodieux, migrateur, minuscule, passager, rapace, sauvage. *Chasser, nourrir, observer, pourchasser, scruter les oiseaux.* Un oiseau becquette, défèque, déploie ses ailes, picore, plane, plonge, prend son essor, rase le sol, s'abat, saute, sautille, s'élance, s'enfuit, s'envole, se pose, virevolte, vole, volette, voltige; (**ses cris**) babille, caquette, gazouille, jase, piaille.

ONGLE (*s'emploie généralement au pluriel*) bombés, brillants, courts, laqués, longs, négligés, nets, pointus, polis, recourbés,

sales, soignés, vernis. *Avoir les ongles (+ adjectif); se couper, se curer, se limer, se nettoyer, se ronger, se peindre, se polir, se tailler, se vernir les ongles.*

ONGUENT clair, consistant, épais, liquide, médicamenteux. *Appliquer de l'onguent.*

OPÉRATION (*médecine*) compliquée, délicate, difficile, douloureuse, grave, inévitable, légère, longue, pénible, prolongée, radicale, urgente. *Effectuer, faire, pratiquer, réussir, subir, tenter une opération; procéder à une opération; se remettre d'une opération.* □(*mathématique*) complexe, erronée, difficile, facile, fausse, juste, simple. *Effectuer, exécuter, faire une opération.*

OPINION discutable, ferme, indéfendable, juste, négative, partagée, positive, préconçue, réfléchie, répandue, sincère, tranchée. *Accepter, admettre, avancer, avoir, changer, défendre, donner, garder, imposer, soutenir une/son opinion; s'entêter, s'obstiner dans une/ses opinion(s).*

OPTIMISME déconcertant, exagéré, forcé, immense, inébranlable, insensé, justifié, modéré, naïf, nuancé. *Afficher, manifester, montrer un optimisme (+ adjectif);*

être, faire preuve d'un optimisme (+ adjectif).

ORAGE bref, dévastateur, effrayant, isolé, menaçant, puissant, soudain, spectaculaire, terrible, violent. *Annoncer, braver, craindre, subir un orage.* Un orage approche, couve, éclate, gronde, menace, passe, s'abat, s'annonce, s'apaise, se calme, se déchaîne, se dissipe, se prépare, survient.

ORANGE agressif, ardent, brillant, chaleureux, chaud, clair, criard, délavé, éclatant, enflammé, fade, foncé, intense, pâle, prononcé, safrané, soutenu, vif.

ORCHESTRE bruyant, excellent, imposant, modeste, prestigieux. *Conduire, diriger un orchestre; jouer dans un orchestre.* Un orchestre s'accorde, se produit, s'exécute.

ORDINATEUR convivial, désuet, équipé, lent, obsolète, performant, puissant, rapide, sophistiqué, vétuste. *Disposer, se servir d'un ordinateur; écrire, pianoter, tapoter, travailler sur un ordinateur; être rivé, s'installer devant un ordinateur; se mettre à l'ordinateur.* Un ordinateur gèle, plante, tombe en panne.

ORDRE (_succession régulière_) alphabétique, chronologique, croissant, décroissant, défini, déterminé, habituel, logique, numérique. _Changer, déterminer, établir, inverser un_ ordre; _classer, mettre dans un_ ordre _(+ adjectif); ranger par_ ordre _(+ adjectif)._ □ (_commandement, directive_) catégorique, ferme, formel, indirect, indiscutable, précis, pressant, rigoureux. _Dicter, donner, exécuter, observer, recevoir, rejeter, respecter, suivre un/des_ ordre(s); _désobéir, se plier à un_ ordre.

ORDURES biodégradables, domestiques, infectes, malodorantes, ménagères, nauséabondes, puantes, recyclables, sèches, souillées. _Balayer, déposer, enlever, incinérer, ramasser, traiter des_ ordures; _jeter, mettre aux_ ordures.

OREILLE (_oreilles d'une personne_) décollées, délicates, écartées, énormes, épaisses, fines, grandes, immenses, larges, minuscules, percées, poilues, pointues, velues. □ (_oreilles d'un animal_) aplaties, couchées, courtes, droites, fines, larges, longues, mobiles, pendantes, petites, pointues, rabattues. _Coucher, dresser, pointer, remuer les_ oreilles.

ORGANISATION brouillonne, complexe, compliquée, coordonnée, désordonnée, efficace, éprouvée, équilibrée, impeccable, méthodique, méticuleuse, minutieuse, parfaite, planifiée, précise, remarquable, rigide, rodée, simple, soignée, sophistiquée, souple, stricte. _Achever, améliorer, confier, entreprendre, mettre au point l'_organisation _(de quelque chose); manquer d'_organisation.

ORGANISME compétent, dynamique, florissant, important, influent, performant, prospère, puissant, spécialisé, tentaculaire. _Adhérer, avoir recours, se joindre à un_ organisme; _administrer, diriger, fonder, mettre sur pied, représenter un_ organisme; _faire partie d'un_ organisme.

ORGUEIL blessé, démesuré, excessif, extrême, immodéré, inouï, insensé, jaloux, maladif, malsain. _Avoir, manifester, montrer, posséder un_ orgueil _(+ adjectif); blesser, chatouiller, humilier, refouler son_ orgueil; _être blessé dans son_ orgueil; _être rempli d'_orgueil.

ORIGINE douteuse, exacte, floue, inconnue, lointaine, modeste, mystérieuse, noble, obscure. _Chercher, connaître, établir, étudier, ignorer, trouver une/ses_ origine(s).

ORIGNAL (*s'emploie surtout au Canada*) énorme, immense, imposant, impressionnant, nonchalant. *Un orignal disparaît, s'ébroue, se dissimule, s'enfuit, s'immobilise, surgit; (son cri) brame.*

ORTEIL (*s'emploie généralement au pluriel*) agiles, boudinés, courts, engourdis, longs, minces.

ORTHOGRAPHE défaillante, erronée, exacte, excellente, fantaisiste, inacceptable, incertaine, incohérente, parfaite, soignée. *Améliorer, apprendre, connaître, corriger, savoir, soigner, surveiller, vérifier l'/son* orthographe; *avoir, maîtriser, posséder, utiliser une* orthographe *(+ adjectif); écrire avec une* orthographe *(+ adjectif).*

OS brisé, broyé, cassé, déboîté, décharné, disloqué, fêlé, fracassé, fracturé, luxé, rompu. *Plâtrer, remboîter, se briser, se casser, se déplacer, se disloquer, se fracturer, se luxer un* os. *Un* os *craque, se déboîte, se démet, se fracture.*

OUBLI délibéré, fâcheux, impardonnable, inexcusable, irréparable, léger, regrettable, sérieux, volontaire. *Commettre, compenser, faire, pardonner, réparer un oubli.*

OUÏE aiguisée, attentive, défectueuse, déficiente, délicate, développée, endommagée, excellente, exceptionnelle, fine, intacte, parfaite, sensible.

OURAGAN déchaîné, désastreux, dévastateur, faible, furieux, horrible, majeur, puissant, redoutable, soudain, spectaculaire, violent. *Affronter, annoncer, craindre, essuyer, subir un* ouragan; *échapper, résister, survivre à un* ouragan. *Un ouragan déferle, éclate, fait rage, frappe, menace, s'affaiblit, se déchaîne, s'élève, se prépare, s'intensifie, souffle.*

OURS (féminin: **ourse**) agressif, dangereux, destructeur, énorme, féroce, géant, lourdaud, trapu, violent. *Un ours* attaque, hiberne; *(ses cris) grogne, gronde.*

OURSON bagarreur, charmant, coquin, espiègle, inoffensif, turbulent. *Un ourson hiberne, ronchonne; (son cri) grogne.*

OUTIL compliqué, dangereux, défectueux, efficace, émoussé, essentiel, fiable, fragile, indispensable, irremplaçable, léger, lourd, performant, polyvalent, pratique, précieux, précis, puissant, rudimentaire, simple, solide, sommaire, utile, vétuste. *Affûter, aiguiser, manier, maîtriser,* *ranger, utiliser un* outil *; se servir d'un* outil.

OUVRAGE ardu, complexe, délicat, épuisant, fastidieux, fin, gros, impeccable, médiocre, pénible, précis, raffiné, salissant, simple, superbe, urgent. *Accomplir, achever, effectuer, entreprendre, faire, parfaire, réaliser, terminer un* ouvrage.

P

PAGE blanche, déchirée, détachée, écornée, gribouillée, griffonnée, immaculée, noircie, quadrillée, raturée, vierge. *Arracher, déchirer, détacher, écorner, feuilleter, marquer, noircir, raturer, remplir une/des page(s).*

PAIE décente, équitable, faible, modeste, modique, pauvre, raisonnable. *Geler, hausser, recevoir, réduire, toucher, verser une/sa paie.*

PAIEMENT automatique, complet, comptant, direct, échelonné, élevé, excessif, final, fixe, forfaitaire, graduel, partiel, unique. *Accepter, annuler, anticiper, bloquer, échelonner, effectuer, exiger, faire, interrompre, recevoir, réclamer, retarder, suspendre un/des/ses paiement(s).*

PAIN artisanal, blanc, brûlé, brun, chaud, complet, croustillant, croûté, cuit, dur, épais, farineux, frais, grillé, léger, long, lourd, mince, moisi, noir, nourrissant, petit, rassis, rond, rustique, sec, spécial, tendre, torsadé, tranché, tressé. *Beurrer, confectionner, couper, cuire, émietter, grignoter, manger, pétrir, trancher du pain.*

PAIX bienfaisante, brève, définitive, douce, éphémère, fragile, longue, momentanée, permanente, sereine, tranquille, véritable. *Chercher, conserver, demander, faire, maintenir, négocier, obtenir, perturber, proposer, refuser, retrouver, rompre, souhaiter, troubler, trouver, vouloir la paix.* La paix règne, se conclut, s'installe.

PALAIS (*édifice*) abandonné, ancien, austère, décrépit, détruit, enchanté, fortifié, historique, imposant, impressionnant, luxueux, magnifique, majestueux, ravissant, restauré, riche, ruiné, somptueux, superbe. *Entrer, pénétrer dans un palais; habiter, restaurer, visiter un palais.* Un palais se dresse. □(*anatomie*) délicat, desséché, fin, friand, gourmand, infaillible, raffiné, subtil. *Avoir le palais (+ adjectif); chatouiller, flatter le palais.*

PANIQUE collective, désespérée, extrême, folle, horrible, indescriptible, injustifiée, intérieure, légère, maladive, passagère, permanente, réelle, soudaine, terrible, vague, vraie. *Déclencher, provoquer, surmonter, vaincre une panique; éprouver, ressentir une panique (+ adjectif).* Une panique monte, règne, s'accroît, s'amplifie, s'installe.

PANORAMA charmant, désertique, désolé, époustouflant,

étrange, exceptionnel, fabuleux, féerique, grandiose, impressionnant, inoubliable, inouï, luxuriant, paradisiaque, ravissant, sauvage, spectaculaire, sublime, unique, vertigineux. *Admirer, contempler, découvrir, observer un panorama. Un panorama s'étend, s'offre, s'ouvre.*

PANSEMENT énorme, épais, étroit, immense, impressionnant, improvisé, lâche, large, léger, propre, serré, sommaire, souillé, stérile, temporaire. *Appliquer, changer, confectionner, effectuer, enlever, faire, mettre, renouveler, retirer, serrer, stériliser un pansement.*

PANTALON ajusté, ample, avachi, chic, confortable, convenable, court, décontracté, défraîchi, délabré, démodé, droit, effiloché, effrangé, élégant, élimé, étroit, évasé, fatigué, flottant, froissé, impeccable, infroissable, large, léger, lourd, moulant, propre, sale, serré, seyant, sobre, souple, taché, usé. *Enfiler, enlever, mettre, ôter, passer, porter, remonter, retirer un/son pantalon; flotter, nager dans son pantalon.*

PANTOUFLE (*s'emploie généralement au pluriel*) amples, chaudes, confortables, légères, lourdes, neuves, percées, usées, vieilles.

Mettre, ôter, porter des pantoufles.

PAON (féminin: **paonne**) orgueilleux, vaniteux. Un paon fait la roue, parade, se dandine, se pavane; (*ses cris*) braille, criaille.

PAPILLON bariolé, coloré, commun, diurne, exotique, farouche, folâtre, fragile, géant, gracieux, imposant, magnifique, majestueux, menu, migrateur, minuscule, multicolore, nocturne, rare, ravissant, terne, vif. *Attraper, capturer, prendre un papillon; chasser des papillons; courir après les papillons.* Un papillon bat des ailes, palpite, s'envole, se pose, vole, volette, voltige.

PAQUET affranchi, embarrassant, encombrant, énorme, enveloppé, étroit, ficelé, immense, large, léger, long, lourd, mince, plat, scellé, volumineux. *Affranchir, apporter, cacheter, défaire, emporter, envelopper, envoyer, expédier, faire, faire parvenir, fermer, ficeler, ouvrir, porter, poster, recevoir, recommander, remettre, retourner, transporter un paquet.*

PARADE colorée, étrange, interminable, lente, longue, spectaculaire, tumultueuse. *Une parade se forme, s'étire, s'organise.*

PARAPLUIE défectueux, fragile, immense, large, léger, résistant, retourné, robuste, télescopique, vieux. *Avoir, déployer, oublier, ouvrir, plier, prendre, tenir un/son parapluie; s'abriter, se mettre sous un parapluie; se munir, s'encombrer, se servir d'un parapluie.*

PARC abandonné, agréable, arboré, calme, élégant, entretenu, féerique, fleuri, gigantesque, grandiose, luxuriant, magnifique, modeste, muré, naturel, odorant, ombragé, plaisant, ravissant, soigné, somptueux, tranquille, vaste, verdoyant. *Aller, entrer, errer, jouer, se promener dans un parc; aménager, arpenter, entretenir, visiter un parc.*

PARENT (*s'emploie généralement au pluriel*) adoptifs, affectueux, attentionnés, biologiques, chaleureux, comblés, compétents, compréhensifs, doux, excellents, exemplaires, exceptionnels, exigeants, fortunés, généreux, médiocres, modestes, négligents, parfaits, pauvres, permissifs, prévoyants, protecteurs, responsables, sévères, souples, stricts, tolérants, violents. *Adorer, contester, détester, respecter ses parents; avoir des parents (+ adjectif); désobéir, obéir à ses parents; se rebeller contre ses parents.*

PARESSE douce, excessive, incorrigible, inexcusable, intolérable, naturelle, persistante, rêveuse. *Combattre, favoriser, vaincre la paresse; être enclin, inciter, s'abandonner, se laisser aller à la paresse.* Une paresse règne, s'installe.

PARFUM agressif, cher, délicat, discret, envahissant, étourdissant, éventé, fade, fin, fort, frais, insupportable, intense, léger, médiocre, persistant, prononcé, raffiné, repoussant, sauvage, subtil, tenace, vulgaire. *Dégager, humer, respirer, sentir, vaporiser un parfum; s'appliquer, se mettre du parfum.* Un parfum embaume, envahit, flotte, imprègne, se dissipe, se répand, s'évapore.

PAROLE absurde, agréable, agressive, amicale, arrogante, banale, blessante, brutale, célèbre, décevante, élogieuse, grossière, insignifiante, intelligente, inutile, irréfléchie, magique, mémorable, méprisante, mielleuse, naïve, persuasive, profonde, rassurante, sincère, superflue, tendre, touchante, vaine, violente, vulgaire. *Articuler, bredouiller, citer, échanger, exprimer, hurler, marmonner, murmurer, prononcer, regretter une/des parole(s); prendre la parole.*

PARQUET astiqué, brillant, ciré, encrassé, étincelant, froid, glacé, luisant, lustré, mat, miroitant, poussiéreux, propre, rayé, reluisant, sale, souillé, terne, usé. *Astiquer, cirer, entretenir, frotter, laver, nettoyer, vernir un parquet.* Un parquet brille, craque, reluit.

PARTAGE complet, définitif, douloureux, équilibré, équitable, généreux, honnête, involontaire, juste, raisonnable. *Accepter, approuver, contester, effectuer, procéder à un partage; refuser, rejeter un partage.*

PARTICIPATION active, constante, décevante, dévouée, efficace, étroite, exceptionnelle, forcée, indirecte, insuffisante, maigre, modeste, obligatoire, occasionnelle, optimale, partielle, passive, permanente, ponctuelle, précieuse, totale, volontaire. *Apporter, offrir, proposer sa participation.*

PARTIE (*part, portion*) énorme, essentielle, étendue, faible, forte, immense, impressionnante, infime, maigre, majeure, mince, restreinte, substantielle. □(*sport*) acharnée, agitée, amicale, animée, brutale, calme, cruciale, décevante, décisive, défensive, déloyale, équilibrée, importante, inégale, intéressante, interminable, médiocre, monotone, mouvementée, musclée, nulle, offensive, passionnante, ratée, réussie, rude, serrée, spectaculaire, tendue, violente. *Arbitrer, commenter, décommander, disputer, gagner, interrompre, maîtriser, mener, perdre, perturber, remporter, suivre, suspendre, voir une partie; assister à une partie.*

PAS accéléré, agile, assuré, cadencé, chancelant, claudicant, décidé, déterminé, discret, énergique, feutré, hâtif, hésitant, joyeux, léger, lent, lourd, nonchalant, paresseux, précipité, pressé, rapide, régulier, rythmé, saccadé, sautillant, silencieux, souple, traînant, vif, vite. *Accélérer, conserver, hâter, maintenir, modérer, presser, ralentir, traîner le pas; aller, arriver, avancer, entrer, marcher, s'éloigner, sortir à pas (+ adjectif).* Un pas résonne, se fait entendre, s'éteint.

PASSÉ abominable, chargé, douloureux, douteux, fabuleux, fascinant, glorieux, lourd, malheureux, mouvementé, mystérieux, paisible, prestigieux, révolu, tragique, tranquille. *Assumer, effacer, embellir, enterrer, évoquer, ignorer, oublier, regretter, renier, se remémorer le/son passé; avoir un passé (+ adjectif); rompre, se réconcilier, vivre avec le passé.* Le passé refait surface, ressuscite, resurgit.

PASSEPORT diplomatique, faux, périmé, temporaire, valide. *Accorder, confisquer, contrôler, délivrer, demander, détenir, examiner, exiger, falsifier, obtenir, perdre, posséder, présenter, remettre, renouveler, retirer, se procurer un/son passeport; disposer, être en possession d'un passeport.*

PASSE-TEMPS agréable, amusant, captivant, créatif, enrichissant, exigeant, favori, idéal, intelligent, intéressant, passionnant, prenant, préféré, relaxant, sain, solitaire, utile. *Apprendre, pratiquer, trouver un passe-temps; s'adonner, se consacrer, s'initier à un passe-temps.*

PASSION contagieuse, dévastatrice, enrichissante, excessive, folle, inexplicable, insatiable, irrésistible, maladive, passagère, refoulée, saine, secrète, tenace, violente, vraie. *Allumer, assouvir, avouer, calmer, développer, éprouver, éteindre, exciter, modérer, refroidir, ressentir, satisfaire, vivre une/sa/ses passion(s).* Une passion dévore, naît, s'attise, se calme, s'éteint, sommeille.

PATIENCE admirable, angélique, constante, exceptionnelle, exemplaire, incroyable, inépuisable, infinie, soutenue, tenace. *Avoir,*

montrer une patience (+ adjectif); être à bout, manquer, redoubler, s'armer de patience; faire preuve d'une patience (+ adjectif).

PATIENT (féminin: **patiente**) agité, agressif, angoissé, anxieux, capricieux, contagieux, exigeant, fiévreux. *Ausculter, examiner, hospitaliser, opérer, soigner, surveiller, traiter, visiter, voir un patient.*

PATINEUR (féminin: **patineuse**) agile, filiforme, gracieux, infatigable, médiocre, piètre, robuste, spectaculaire, virtuose.

PÂTISSERIE appétissante, chaude, croustillante, délicate, délicieuse, énorme, exquise, fade, feuilletée, fine, fraîche, légère, odorante, raffinée, savoureuse, succulente, tentante. *Acheter, confectionner, fabriquer, manger, réaliser, savourer une pâtisserie; se bourrer de pâtisseries.*

PATRON (féminin: **patronne**) compétent, compréhensif, efficace, estimé, exceptionnel, exigeant, formidable, gentil, humain, juste, ouvert, puissant, responsable, tyrannique. *Avoir, être un patron (+ adjectif).*

PATTE (*s'emploie généralement au pluriel*) allongées, courbes, courtes, dégriffées, délicates, fines, fortes, larges, lisses, longues, musclées, palmées, puissantes, robustes, trapues, vigoureuses. *Avoir des/les pattes (+ adjectif); donner, tendre la patte.*

PAUPIÈRE (*s'emploie généralement au pluriel*) affaissées, bouffies, collées, fatiguées, gonflées, lourdes, tombantes. *Avoir les paupières (+ adjectif); baisser, cligner, fermer, lever, ouvrir, plisser, sécher les/ses paupières.* Des paupières battent, clignent, palpitent, papillotent, titillent.

PAUSE bénéfique, brève, interminable, légère, longue, méritée, prolongée, rafraîchissante, régénératrice, salutaire. *Accorder, demander, faire, prendre, s'offrir une pause; profiter d'une pause.*

PAUVRETÉ criante, extrême, généralisée, grandissante, inacceptable, insouciante, misérable, rare, réelle, terrible, visible. *Augmenter, combattre, engendrer, réduire, supprimer, vaincre la pauvreté; lutter contre la pauvreté; vivre dans une pauvreté (+ adjectif).* La pauvreté augmente, diminue, disparaît, empire, règne, régresse, se maintient, s'installe.

PAYS accidenté, étendu, frontalier, gigantesque, immense, infini, minuscule, montagneux, plat, populeux, sauvage, vaste. *Entrer, rester, s'installer dans un pays; parcourir, visiter, voir un pays; sortir d'un pays.*

PAYSAGE accidenté, aride, austère, calme, champêtre, dépouillé, désertique, dévasté, fantastique, féerique, grandiose, harmonieux, impressionnant, inoubliable, lunaire, majestueux, montagneux, paisible, pittoresque, plat, reposant, saisissant, sévère, spectaculaire, splendide, sublime, triste, vallonné, varié, vaste, verdoyant. *Admirer, contempler, découvrir, préserver, regarder un paysage.* Un paysage défile, se déroule, s'offre au regard, surgit.

PEAU abîmée, basanée, boutonneuse, claire, crevassée, délicate, dorée, douce, éclatante, ferme, fine, flasque, foncée, fragile, fraîche, gercée, grasse, laiteuse, lisse, luisante, mate, moite, pâle, parfaite, plissée, rêche, ridée, rude, rugueuse, satinée, sèche, sensible, souple, soyeuse, tendre, terne, vilaine. *Écorcher, effleurer, égratigner, érafler la peau.* La peau se crevasse, se fendille, se gerce.

PÊCHE abondante, excellente, exceptionnelle, fabuleuse, infructueuse, maigre, miraculeuse. *Aller, partir, s'adonner à la pêche; effectuer, faire, réaliser une pêche (+ adjectif); pratiquer la pêche; rentrer bredouille de la pêche.*

PÊCHEUR (féminin : **pêcheuse**) amateur, chanceux, enragé, expérimenté, fervent, infatigable, maladroit, malchanceux, passionné, patient.

PEINE (*chagrin, douleur*) douloureuse, immense, incommensurable, inconsolable, indescriptible, infinie, insurmontable, passagère, persistante, profonde, sincère. *Cacher, causer, confier, consoler, endurer, épancher, éprouver, noyer, partager, ressentir, soulager une/sa peine; vivre une peine (+ adjectif).* □ (*punition*) cruelle, disproportionnée, douce, dure, excessive, inhumaine, justifiée, légère, lourde, rigoureuse, sévère. *Alléger, déterminer, exécuter, fixer, infliger, mériter, purger, réduire, subir une peine.*

PEINTURE (*matière, surface peinte*) brillante, claire, couvrante, craquelée, durcie, écaillée, épaisse, fraîche, lavable, luisante, mate, résistante, satinée. *Appliquer une peinture.* Une peinture cloque, gondole, s'écaille, sèche, se fendille, s'effrite, tient. □ (*tableau*) abstraite, décorative, exquise, figurative, naïve, réaliste, romantique, sobre, tourmentée. *Encadrer, faire, restaurer une peinture; s'adonner, s'initier à la peinture.*

PELAGE bouclé, brillant, clairsemé, court, dense, doux, dru, dur, entretenu, épais, étincelant, fin, fourni, frisé, hérissé, hirsute, laineux, lisse, luisant, lustré, raide, ras, rêche, rude, serré, sombre, souple, soyeux, terne. *Posséder un pelage (+ adjectif).*

PELOUSE brûlée, clairsemée, courte, douce, humide, impeccable, jaunie, longue, malade, séchée, uniforme. *Arroser, entretenir, semer, tondre une pelouse.*

PENSÉE affectueuse, agréable, amicale, banale, confuse, délicate, déprimante, douce, émue, horrible, inavouable, joyeuse, profonde, secrète, superficielle, tendre, touchante, triste. *Avoir une pensée (+ adjectif); cacher, confier, dire, exprimer, formuler, partager, préciser sa/ses pensée(s).* Des pensées couvent, foisonnent, se bousculent, trottent, vagabondent; une pensée chemine, germe, jaillit, mûrit, s'évapore, vient à l'esprit.

PENTE abrupte, caillouteuse, douce, escarpée, faible, forte, modérée, pierreuse, prononcée, raide, régulière, rude, vertigineuse. *Dégringoler d'une pente; descendre, dévaler, escalader, franchir, grimper, monter, suivre une pente.*

PÈRE absent, adorable, affectueux, attentif, autoritaire, comblé, compétent, compréhensif, distant, doux, dur, effacé, exemplaire, froid, généreux, modèle, permissif, protecteur, responsable, sévère, strict, tendre, violent.

PERMISSION exceptionnelle, expresse. *Accorder, demander, donner, obtenir, refuser une permission; bénéficier, disposer, profiter d'une permission.*

PERROQUET agressif, jaseur, magnifique. Un perroquet bougonne, cause, grogne, imite, jacasse, jase, parle, répète, répond, siffle.

PERSONNAGE (*de roman, d'un film*) accessoire, banal, captivant, central, complexe, effacé, fade, fascinant, important, insignifiant, intéressant, majeur, mineur, principal, secondaire. *Composer, créer, incarner, interpréter, jouer un personnage; s'identifier à un personnage.* Un personnage apparaît, disparaît, évolue, se transforme, surgit.

PERSONNE accueillante, aimable, antipathique, arrogante, banale, brusque, changeante, discrète, douce, dynamique, effacée, énergique, ennuyeuse, fiable, forte, généreuse, hautaine, heureuse, honnête, humble, idéaliste, ingénieuse, insignifiante, intéressante, méchante, modeste, passionnée, prétentieuse, raffinée, rêveuse, sensible, simple, sociable, solitaire, stupide, superficielle, sympathique, timide, tranquille, triste, violente, vive.

PERTE brusque, catastrophique, considérable, douloureuse, énorme, forte, graduelle, humiliante, immense, importante, incalculable, inestimable, inévitable, légère, lourde, modeste, permanente, substantielle, temporaire, terrible. *Assumer, causer, combler, compenser, constater, diminuer, entraîner, essuyer, limiter, occasionner, réduire, réparer, subir une/des perte(s).* Une perte s'alourdit, s'amplifie, se produit.

PESSIMISME accablant, aigu, chronique, contagieux, déprimant, désabusé, exagéré, extrême, injustifié, inquiétant, maladif, passager, profond. *Afficher, manifester, montrer un pessimisme (+ adjectif); faire preuve d'un pessimisme (+ adjectif).*

PÉTALE abîmé, clos, desséché, épanoui, fané, flétri. *Arracher, cueillir, enlever, humer, sentir des pétales; déployer, ouvrir, perdre ses pétales.*

PETIT-DÉJEUNER complet, consistant, copieux, excellent, exquis, frugal, hâtif, rapide, savoureux, sommaire, somptueux, substantiel, tardif, varié. *Attaquer, avaler, déguster, entamer, prendre, préparer, savourer, servir, terminer un/ son petit-déjeuner.*

PEUPLE ami, attachant, avancé, barbare, chaleureux, civilisé, cultivé, dispersé, dominé, évolué, fier, fort, hospitalier, insoumis, jeune, libre, misérable, nomade, pacifique, paisible, pauvre, prospère, puissant, sédentaire, uni. *Anéantir, émanciper, exterminer, libérer un peuple.*

PEUR absurde, contagieuse, épouvantable, excessive, incontrôlée, injustifiée, légère, maladive, paralysante, passagère, permanente, profonde, réelle, secrète, terrible. *Avouer, cacher, calmer, causer, dissimuler, entretenir, éprouver, faire régner, maîtriser, renforcer, surmonter, vaincre la/de la/sa peur; frémir, frissonner, hurler, mourir, pâlir, s'évanouir, trembler de peur; vivre dans la peur.* Une peur augmente, diminue, disparaît, monte, naît, persiste, règne, s'amplifie, s'atténue, se répand, s'installe.

PHÉNOMÈNE bouleversant, complexe, courant, déplorable, étonnant, étrange, grandiose, inexplicable, inquiétant, intéressant, isolé, marquant, nouveau, préoccupant, répandu, troublant, unique, universel. *Analyser, causer, combattre, constater, craindre, déclencher, décrire, étudier, expliquer, noter, observer un phénomène.* Un phénomène apparaît, disparaît, persiste, s'aggrave, s'atténue, se développe, se propage, se répète, s'intensifie, survient.

PHOQUE acrobate, espiègle, lisse, luisant, moustachu, svelte. *Admirer, apprivoiser, dresser, observer un phoque.* Un phoque nage, s'amuse, surgit de l'eau; (*ses cris*) bêle, grogne, rugit.

PHOTO (ou **photographie**) abîmée, défraîchie, floue, inédite, manquée, jaunie, moche, nette, pâlie, panoramique, ratée, récente, réussie, truquée, vieille, voilée. *Agrandir, cadrer, centrer, faire, manquer, prendre, rater, réaliser, retoucher, réussir une photo; aimer, pratiquer la photo; faire de la photo; s'adonner, s'initier à la photo.*

PHRASE amusante, banale, bizarre, brillante, brutale, cinglante, claire, complexe, courte, creuse, embrouillée, imagée, incohérente, insignifiante, interminable, maladroite, mielleuse, négative, polie, positive, profonde, rassurante, recherchée, simple. *Analyser, bredouiller, citer, déchiffrer, écrire, employer, énoncer, entendre, formuler, interpréter une phrase.*

PIANISTE amateur, applaudi, brillant, célèbre, chevronné, connu, débutant, doué, exceptionnel, génial, intelligent, médiocre, modeste, original, performant, piètre, populaire, précoce, prodigieux, professionnel, remarquable, renommé, réputé, sensible, superficiel, talentueux, virtuose.

PIANO délabré, discordant, excellent, fatigué, faux, juste, précis, sensible, vieux. *Accorder un piano; apprendre, étudier, toucher, travailler le piano; être doué pour le piano; faire, jouer du piano.*

PIÈCE (*chambre, salle*) accueillante, austère, chaleureuse, claire, confortable, coquette, douillette, encombrée, ensoleillée, intime, luxueuse, minable, minuscule, misérable, miteuse, modeste, ravissante, sombre, somptueuse, spacieuse, sympathique, vaste. *Aménager, décorer, habiter, meubler, nettoyer, peindre, rénover une pièce; entrer, pénétrer dans une pièce; sortir d'une pièce.* □(*théâtre*) captivante, comique, ennuyeuse, insignifiante, interminable, médiocre, monotone, originale, populaire, profonde, ratée, remarquable, réussie. *Adapter, applaudir, composer, créer, huer, jouer, monter, présenter, produire une pièce. Une pièce a lieu, prend l'affiche, se déroule.*

PIED agile, bot, cambré, déformé, délicat, fin, gigantesque, large, long, maigre, minuscule, plat, potelé, souple. *Avoir un/les pieds (+ adjectif); se fouler, se tordre le pied; souffrir, transpirer des pieds.*

PIERRE (*cailloux*) anguleuse, brillante, brute, concassée, coupante, dure, effritée, émiettée, érodée, fossile, frêle, friable, légère, lisse, lourde, massive, plate, pointue, polie, raboteuse, ronde, rude, rugueuse, taillée, usée. *Casser, sculpter, tailler une pierre; concasser, extraire de la pierre.* □(*pierre précieuse*) authentique, brillante, brute, énorme, étincelante, fausse, fine, inestimable, magnifique, polie, superbe, synthétique, terne, véritable. *Monter, tailler une pierre.*

PIGEON (féminin : **pigeonne**) fidèle, jaloux. Un pigeon défèque, lisse ses plumes, s'enfuit, s'envole ; (*son cri*) roucoule.

PINCEAU carré, court, doux, dur, épais, étroit, fin, large, long, mince, neuf, plat, propre, réutilisable, rond, souillé, souple, spécial, usé. *Employer, essorer, laver, nettoyer, tenir, utiliser un pinceau ; se servir d'un pinceau*

PIQUE-NIQUE agréable, arrosé, consistant, copieux, élégant, excellent, fastueux, frugal, gastronomique, gourmand, improvisé, joyeux, magnifique, merveilleux, raffiné, rapide, raté, réussi, savoureux, simple, sommaire, somptueux. *Faire, improviser, organiser, préparer un pique-nique ; participer, se rendre à un pique-nique.*

PIQÛRE (*d'insecte,* etc.) bénigne, dangereuse, inoffensive, mortelle, venimeuse. *Soulager, soigner une piqûre.* □(*injection*) contaminée, désagréable, douloureuse, efficace, indolore. *Donner, exécuter, injecter, recevoir une piqûre.*

PISCINE chauffée, couverte, équipée, extérieure, géante, intérieure, minuscule, olympique, privée, profonde, publique, spacieuse, surveillée, vaste. *Barboter, jouer, nager, plonger, s'amuser, sauter, s'ébattre dans une piscine ; entretenir, fréquenter, installer, posséder une piscine.*

PISTE (*sentier*) abrupte, accidentée, ardue, battue, boueuse, cahoteuse, caillouteuse, dangereuse, enneigée, escarpée, étroite, fréquentée, glissante, inégale, impraticable, ombragée, périlleuse, pittoresque, poussiéreuse, raide, rectiligne, sauvage, sinueuse. *Aménager, baliser, damer, emprunter, entretenir, suivre, tracer une piste ; s'engager sur une piste.* Une piste bifurque, descend, grimpe, monte, s'arrête, s'efface, serpente, zigzague. □(*empreinte, marque, indice*) embrouillée, faible, fausse, floue, fraîche, intéressante, nette, privilégiée, prometteuse, sérieuse, suspecte. *Brouiller, détecter, négliger, perdre, poursuivre, rechercher, repérer, suivre, trouver une piste.*

PLACARD comble, désordonné, encombré, profond, rangé, spacieux, utile, vaste. *Ranger, vider un placard.*

PLAGE accessible, animée, attrayante, bondée, brûlante, caillouteuse, calme, célèbre, déserte, encombrée, fréquentée, interminable, minuscule, paradisiaque, polluée, populaire, préservée, propre, protégée, sablonneuse, saturée, sauvage, souillée, tranquille, vaste, vide. *Accéder à une* plage; *aller à la* plage; *bronzer, jouer, s'allonger, se prélasser, se reposer sur une* plage; *surveiller une* plage.

PLAIE banale, béante, boursouflée, cicatrisée, dégoûtante, douloureuse, indolore, infectée, inguérissable, insignifiante, large, profonde, purulente, saignante, sensible, superficielle, vive. *Cicatriser, désinfecter, examiner, guérir, négliger, nettoyer, panser, soigner, stériliser, traiter une* plaie. Une plaie brûle, démange, guérit, saigne, se cicatrise, s'envenime, s'infecte, suppure.

PLAINE aride, cultivée, dénudée, désertique, ensoleillée, fleurie, herbeuse, interminable, monotone, sablonneuse, vallonnée, vaste, verdoyante. *Parcourir, traverser une* plaine. Une plaine se déroule, s'étend.

PLAINTE (*cri, gémissement*) angoissée, atroce, courte, désespérée, étouffée, horrible, involontaire, légère, lointaine, perçante, prolongée, terrifiante, voilée. *Émettre, entendre, étouffer, laisser échapper, pousser une* plainte. Une

plainte retentit, s'échappe, s'élève. □(*blâme, reproche, accusation*) absurde, continuelle, fondée, grave, justifiée, sévère, vague. *Adresser, déposer, examiner, recevoir, régler, rejeter, retirer une* plainte.

PLAISIR bienfaisant, coûteux, défendu, extrême, immense, intense, momentané, naïf, passager, permis, raffiné, réel, simple, suprême. *Atténuer, augmenter, diminuer, faire durer, gâcher le* plaisir; *donner, éprouver, faire, goûter, prendre, procurer, trouver un/du/son* plaisir. Un plaisir augmente, diminue, disparaît, s'accentue, s'émousse, s'éteint, s'estompe, s'intensifie.

PLAN (*croquis, ébauche*) clair, complet, compliqué, détaillé, erroné, fiable, fidèle, grossier, illisible, minutieux, net, précis, rigoureux, simple, simplifié, vague. *Consulter, dessiner, lire, modifier, réaliser, tracer un* plan. □(*projet, idée*) abstrait, ambitieux, audacieux, compliqué, concret, coûteux, extravagant, génial, ingénieux, logique, monstrueux, réalisable, réfléchi, risqué, simple, stratégique. *Concevoir, déjouer, élaborer, exécuter, improviser, modifier, mûrir, perfectionner, préparer, présenter, prévoir, proposer, réaliser, refuser, suivre, superviser un* plan. Un plan échoue, réussit, s'écroule.

PLANCHER brillant, ciré, froid, lustré, mat, poli, poussiéreux, propre, rayé, reluisant, satiné, souillé, terne. *Astiquer, cirer, entretenir, frotter, laver, nettoyer, vernir un plancher.* Un plancher craque.

PLANIFICATION approfondie, complète, compliquée, désastreuse, douteuse, efficace, intelligente, logique, méthodique, minutieuse, prudente, responsable, rigoureuse, sage, sérieuse, simple, souple. *Assumer, assurer, faciliter une planification; manquer de planification; participer, procéder à une planification.*

PLANTE décorative, délicate, énorme, épineuse, exotique, feuillue, fleurie, florissante, frêle, gigantesque, grimpante, haute, maigre, minuscule, naine, odorante, ornementale, rampante, ravissante, robuste, sauvage, vigoureuse, vivace. *Arroser, couper, cultiver, faire pousser, offrir, planter, tailler une plante.* Une plante bourgeonne, dépérit, flétrit, fleurit, grandit, pousse, s'acclimate, sèche, se développe, se fane, s'épanouit, végète.

PLAT (*récipient*) cassé, creux, ébréché, énorme, fêlé, profond. *Essuyer, nettoyer, racler, récurer un plat.* □(*mets*) allégé, appétissant, chaud, copieux, délicat, délicieux, élaboré, épicé, exquis, fade, froid, gastronomique, original, préféré, raffiné, relevé, sain, succulent. *Apprécier, apprêter, assaisonner, confectionner, cuisiner, goûter, humer, préparer, présenter, rater, réchauffer, réussir, savourer un plat.*

PLEUR (*s'emploie généralement au pluriel*) abondants, désespérés, feints, hypocrites, incessants, silencieux, sincères. *Apaiser, calmer, essuyer, étouffer, laisser couler, refouler, retenir, sécher, verser des/ses pleurs.* Des pleurs cessent, coulent.

PLONGEON gracieux, impressionnant, imprudent, maladroit, périlleux, prodigieux, risqué, spectaculaire, vertigineux. *Effectuer, exécuter, faire, piquer, rater, réaliser, réussir un plongeon.*

PLUIE abondante, battante, brève, chaude, diluvienne, douce, drue, ennuyeuse, fine, froide, incessante, interminable, intermittente, légère, passagère, persistante, rafraîchissante, soudaine, verglaçante, violente. *Affronter, braver la pluie; marcher, rester, se promener sous la pluie.* Une pluie cesse, clapote, diminue, éclate, menace, persiste, ruisselle, s'abat, s'interrompt, tambourine.

PLUMAGE abîmé, abondant, brillant, clair, coloré, dense, discret, distinctif, doux, ébouriffé, éclatant, foncé, fourni, imperméable, luisant, multicolore, rugueux, sobre, soigné, sombre, souple, soyeux, terne. *Être pourvu d'un plumage (+ adjectif); porter, posséder un plumage (+ adjectif).*

PLUME (*s'emploie généralement au pluriel*) belles, brillantes, chatoyantes, flamboyantes, lisses, petites, tachetées. *Hérisser, lisser, lustrer, perdre ses plumes.*

POÈME banal, émouvant, harmonieux, incompréhensible, interminable, long, médiocre, naïf, original, passionné, profond, rimé, simple, superbe. *Admirer, analyser, composer, dire, écrire, faire, lire, réciter, rédiger, travailler un poème.*

POIDS acceptable, approximatif, convenable, écrasant, élevé, énorme, exact, excessif, fluctuant, idéal, important, insignifiant, léger, lourd, moyen, raisonnable, stable, variable. *Afficher, avoir, posséder un poids (+ adjectif); atteindre, conserver, maintenir, obtenir, viser un poids (+ adjectif); augmenter, calculer, dépasser, déterminer, réduire un poids; gagner, perdre, prendre du poids;* surveiller *son poids.* Un poids augmente, baisse, chute, fluctue, grimpe, varie.

POIGNÉE DE MAIN assurée, banale, brève, chaleureuse, cordiale, énergique, ferme, franche, molle, puissante, sincère, solide, vigoureuse, vive. *Donner, échanger une poignée de main.*

POIGNET délicat, ferme, fin, frêle, maigre, mince, osseux, potelé, robuste, souple, squelettique, vigoureux. *Saisir, serrer, tenir les poignets de quelqu'un.*

POIL abondant, brillant, clair, couché, crépu, dense, dru, épais, fin, foncé, fourni, frisé, hérissé, laineux, lisse, luisant, lustré, mouillé, ondulé, raide, ras, rêche, rude, souple, soyeux, terne. *Avoir, posséder un poil (+ adjectif); caresser, brosser, lisser, lustrer, peigner le poil de (un chat, etc.); perdre ses poils.* Des poils se dressent, se hérissent, se rebroussent.

POING amaigri, dodu, enflé, menaçant, puissant, velu, vigoureux. *Brandir, crisper, fermer, lever, montrer, serrer le poing; cogner, frapper, heurter, taper du poing.*

POINT contesté, décisif, égalisateur, gagnant, important, incontestable, stratégique, victorieux. *Accorder, compter, contester, enregistrer, gagner, inscrire, manquer, marquer, perdre, rater, remporter, réussir un point; accumuler des points.*

POISSON argenté, calme, carnassier, craintif, dangereux, écailleux, effilé, énorme, géant, gluant, gourmand, grégaire, lisse, minuscule, multicolore, paisible, trapu, turbulent, vorace. *Attraper, capturer, échapper, pêcher, prendre, rejeter un poisson.* Un poisson bondit, frétille, gobe l'hameçon, happe un insecte, mord, nage, plonge, s'agite, se débat.

POLICE efficace, entraînée, équipée, puissante, redoutable. *Alerter, appeler, prévenir, renseigner la police; avoir affaire, échapper, se livrer, se rendre à la police.* Une police appréhende, arrête, enquête, intervient, perquisitionne.

POLICIER (féminin: **policière**) brutal, efficace, expérimenté, intègre.

POLLUTION accrue, catastrophique, croissante, dangereuse, élevée, énorme, exceptionnelle, importante, inquiétante, insupportable, invisible, nuisible, préoccupante, réduite, visible. *Combattre, contrôler, diminuer, éliminer, fuir, prévenir, vaincre la pollution; entraîner, subir une pollution (+ adjectif).* La pollution augmente, diminue, disparaît, s'aggrave, s'atténue, s'étend.

POMME aigre, croquante, dure, ferme, juteuse, mûre, pourrie, savoureuse, sucrée, sûre. *Croquer, mordre dans une pomme; cueillir, peler, savourer une pomme.*

PONT couvert, élevé, étroit, imposant, impressionnant, interminable, large, majestueux, métallique, mobile, moderne, piétonnier, solide, suspendu, tremblant. *Construire, édifier, emprunter, traverser un pont; passer, s'engager sur un pont.*

POPULARITÉ croissante, déclinante, ébranlée, énorme, éphémère, exceptionnelle, faible, fulgurante, immédiate, immense, imméritée, inouïe, limitée, montante, persistante, soudaine. *Acquérir, atteindre, avoir, connaître une popularité (+ adjectif); bénéficier, jouir d'une popularité (+ adjectif).* Une popularité augmente, baisse, diminue, naît, s'atténue, s'effondre, se répand, s'étend.

POPULATION abondante, clairsemée, cosmopolite, dense,

dispersée, faible, forte, nomade, nombreuse, sédentaire. *Une population augmente, baisse, décline, diminue, s'accroît.*

PORC (féminin : **truie**) agité, affamé, calme, dodu, énorme, paisible, trapu. *Élever, engraisser, nourrir des porcs. Un porc allaite ses petits, renifle, se vautre dans la boue; (ses cris) grogne, grouine.*

PORT abandonné, achalandé, animé, désert, florissant, fréquenté, important, imposant, minuscule, prospère, tranquille, vaste. *Arriver, faire escale, mouiller, s'amarrer, s'arrêter à un port; bloquer, quitter, regagner, visiter un port; débarquer, descendre, stationner dans un port.*

PORTABLE (ordinateur) encombrant, léger, mince, performant, plat, puissant. *Allumer, éteindre, posséder, utiliser un portable; disposer, être muni d'un portable; travailler sur un portable.* □(téléphone) lumineux, minuscule, sophistiqué. *Allumer, éteindre, posséder, recharger, utiliser un portable; disposer, être muni d'un portable; appeler quelqu'un, joindre quelqu'un sur son portable.*

PORTE battante, blindée, capitonnée, close, communicante, coulissante, épaisse, étroite, grillagée, lourde, massive, métallique, mince, monumentale, vitrée. *Bloquer, claquer, condamner, défoncer, entrebâiller, entrouvrir, fermer, forcer, franchir, ouvrir, pousser, tirer, verrouiller une porte; cogner, frapper, sonner, tambouriner, taper à la porte. Une porte bâille, bat, claque, couine, frotte, grince, se ferme, s'ouvre.*

PORTEFEUILLE aplati, bourré, dégarni, dodu, gonflé, gros, mince, plat, plein, vide. *Avoir un portefeuille (+ adjectif); dérober, voler un portefeuille.*

POSSIBILITÉ alléchante, envisageable, exceptionnelle, inespérée, infinie, intéressante, invraisemblable, manquée, perdue, réelle, restreinte, séduisante, unique. *Bénéficier, jouir d'une possibilité (+ adjectif); accorder, donner, envisager, examiner, offrir, perdre, rejeter, saisir une possibilité. Une possibilité se présente, se réalise, s'offre.*

POT bas, délicat, étroit, évasé, fragile, haut, large, lourd, profond, translucide, transparent, ventru.

POTAGE brûlant, chaud, clair, consistant, délectable, délicieux, épais, excellent, exquis, fade, fumant, onctueux, pimenté, relevé, savoureux, succulent, velouté. *Confectionner, éclaircir, faire, manger, préparer, réchauffer, savourer, servir un potage.* Un potage cuit, mitonne.

POTAGER biologique, broussailleux, décoratif, désordonné, ensoleillé, fertile, fleuri, généreux, minuscule, modeste, ombragé, soigné, vaste. *Arroser, cultiver, entretenir, planter, posséder un potager.*

POULAIN calme, craintif, enjoué, folâtre, jeune, robuste. Un poulain fait des cabrioles, galope, s'agite, tète; (*son cri*) hennit.

POULE bruyante, couveuse, craintive, pondeuse. *Élever, nourrir, plumer les/des poules.* Une poule couve ses œufs, défèque, picore, pond, s'accroupit, s'agite, vole; (*ses cris*) caquette, glousse.

POUPÉE ancienne, animée, articulée, élégante, mignonne, originale, ravissante. *Jouer à la poupée; recevoir, offrir une poupée.*

POURBOIRE copieux, dérisoire, énorme, exorbitant, faramineux, fixe, généreux, minable, modeste, piètre, raisonnable, ridicule, royal, substantiel. *Demander, donner, glisser, laisser, obtenir, offrir,* recevoir, réclamer, refuser, toucher un pourboire.

POUSSIÈRE aveuglante, dense, diffuse, épaisse, fine, légère. *Balayer, enlever, essuyer, souffler, soulever la poussière.* Une poussière s'amasse, se lève, se soulève, tombe, tourbillonne.

POUSSIN craintif, faible, fragile, jeune, mignon, robuste. *Élever, nourrir des poussins.* Un poussin s'affole, volette; (*son cri*) piaille.

POUVOIR abusif, accru, certain, chancelant, dominateur, efficace, énorme, excessif, faible, illimité, réduit, réel. *Accéder, arriver, aspirer, être, renoncer, s'accrocher au pouvoir; avoir, détenir, exercer, retirer, souhaiter, transmettre le pouvoir.*

PRAIRIE douce, étroite, fleurie, herbeuse, immense, infinie, large, longue, sauvage, vaste, verdoyante. *Cultiver, faucher, franchir, traverser une prairie.*

PRÉNOM ancien, banal, bizarre, charmant, commun, composé, courant, court, étrange, étranger, exotique, inhabituel, inusité, multilingue, nouveau, ordinaire, original, populaire, rare, répandu, simple, unisexe, vieillot. *Choisir, donner, porter, rechercher, retenir,* *trouver un* prénom *; hériter d'un* prénom *(+ adjectif).*

PRÉOCCUPATION angoissante, continuelle, exagérée, infondée, insurmontable, légère, obsessionnelle, personnelle, principale, profonde, réelle, sérieuse, sincère, unique. *Avoir, éprouver une* préoccupation *(+ adjectif); causer, occasionner des* préoccupations.

PRÉSENTATION (*exposé*) brève, claire, complète, confuse, convaincante, courte, détaillée, ennuyeuse, improvisée, incohérente, interminable, logique, longue, monotone, remarquable, vague. *Assister à une* présentation *; donner, écouter, entendre, faire, organiser, préparer, suivre une* présentation. □(*apparence*) adéquate, aérée, agréable, attrayante, austère, claire, dense, dépouillée, élégante, impeccable, luxueuse, originale, sobre, soignée, séduisante, superbe.

PRÊT astronomique, douteux, élevé, énorme, garanti, généreux, important, infime, insignifiant, modeste, usuraire. *Accorder, approuver, avancer, demander, encaisser, faire, garantir, négocier, obtenir, payer, recevoir, refuser, rembourser un* prêt.

PREUVE accablante, concluante, convaincante, discutable, douteuse, écrasante, faible, fausse, importante, incontestable, indiscutable, insuffisante, légère, lourde, mince, satisfaisante, sérieuse, solide, supplémentaire, suprême, sûre, ultime, valable.

PRÉVISION déprimante, erronée, fausse, fiable, optimiste, pessimiste, plausible, préoccupante, vague. *Confirmer, faire, formuler une/des* prévision(s) *; se tromper dans ses* prévisions.

PRINCE (féminin: **princesse**) charmant, élégant, hautain, illustre, influent, majestueux, puissant, respecté.

PRINTEMPS agréable, bref, clément, court, doux, ensoleillé, fleuri, frais, froid, glacial, hâtif, humide, long, merveilleux, neigeux, pluvieux, pourri, précoce, prolongé, rigoureux, sec, tardif. *Annoncer, attendre le* printemps. Le printemps approche, arrive, avance, commence, fait place à l'été, s'achève, touche à sa fin.

PRISON affreuse, célèbre, gigantesque, infecte, insalubre, misérable, modèle, moderne, répugnante, sévère, surpeuplée, vaste, vétuste. *Être détenu/jeté/ mis, pourrir, rester, se morfondre en* prison *; s'échapper, s'enfuir, s'évader, sortir d'une* prison.

PRIX (_coût, valeur_) affiché, attractif, avantageux, bas, compétitif, concurrentiel, courant, coûtant, dérisoire, dissuasif, élevé, exagéré, excessif, ferme, fixe, honnête, imbattable, intéressant, modique, raisonnable, réduit, réel, ridicule, salé, soldé, total, vertigineux. _Augmenter, baisser, calculer, comparer, établir, faire un prix; coûter, demander, obtenir, payer un prix (+ adjectif)._ □(_diplôme, médaille_) convoité, grand, honorifique, important, magnifique, prestigieux. _Décerner, décrocher, gagner, mériter, obtenir, recevoir, remettre, remporter un prix._

PROBLÈME angoissant, complexe, constant, délicat, embarrassant, exaspérant, faux, frustrant, infime, insoluble, insurmontable, léger, lourd, momentané, particulier, permanent, persistant, préoccupant, prévisible, réel, urgent. _Aborder, affronter, aggraver, clarifier, dramatiser, étudier, éviter, examiner, régler, rencontrer, résoudre, simplifier, surmonter, traiter un problème._ Un problème perdure, persiste, s'aggrave, s'atténue, se complique, s'envenime, se pose, se présente, surgit.

PROCÈS compliqué, coûteux, honnête, injuste, interminable, inutile, loyal, médiatisé, rigoureux, ruineux, scandaleux, sensationnel, spectaculaire, truqué. _Entreprendre, gagner, intenter, ouvrir, perdre, remettre, réviser, subir, suivre un procès._ Un procès démarre, est en cours, s'enlise, se poursuit, s'éternise, traîne.

PROFESSEUR (féminin: **professeure**) attentionné, autoritaire, chevronné, compétent, compréhensif, déplorable, dévoué, disponible, dynamique, efficace, ennuyeux, érudit, excellent, exceptionnel, exigeant, expérimenté, impatient, juste, médiocre, piètre, populaire, remarquable, renommé, sévère, strict. _Chahuter, embaucher, suppléer un professeur; obéir, rendre hommage à un professeur._

PROFESSION accaparante, dangereuse, diversifiée, exigeante, fatigante, honorable, importante, ingrate, intéressante, lucrative, méprisée, modeste, passionnante, pénible, prestigieuse, respectable, risquée, subalterne. _Abandonner, apprendre, chercher, choisir, exercer, occuper, pratiquer, quitter, trouver une profession._

PROFIT considérable, dérisoire, douteux, énorme, exagéré, exorbitant, fabuleux, faible, honnête, mince, minime, modéré, normal, raisonnable, scandaleux. _Espérer,_ faire, générer, obtenir, réaliser, retirer, toucher un/des profit(s).

PROFONDEUR approximative, étonnante, exceptionnelle, excessive, faible, inconnue, indéterminée, insoupçonnée, suffisante, vertigineuse. Atteindre, posséder une profondeur (+ adjectif).

PROGRÈS brusque, constant, décevant, éphémère, espéré, évident, exceptionnel, fantastique, fracassant, insignifiant, insuffisant, irrégulier, léger, lent, minuscule, modeste, rapide, réel, remarquable, satisfaisant, spectaculaire, visible. Accomplir, constater, entraîner, faire, observer, réaliser un/des progrès; connaître, marquer, représenter un/des progrès (+ adjectif).

PROJET ambitieux, boiteux, catastrophique, complexe, coûteux, dynamique, énorme, excitant, extravagant, farfelu, formidable, génial, grandiose, intéressant, irréaliste, original, précis, raisonnable, réalisable, rentable, risqué, ruineux, sage, secret, séduisant, sensé, sérieux, simple. Abandonner, accomplir, approuver, développer, diriger, effectuer, élaborer, encourager, financer, lancer, perfectionner, présenter, proposer, rater, réussir, saboter, soumettre un projet. Un

projet aboutit, avance, échoue, piétine, prend forme, progresse, s'écroule, s'enlise, se réalise.

PROMENADE accélérée, agréable, courte, épuisante, forcée, instructive, longue, matinale, nocturne, paisible, pénible, revigorante, solitaire. Effectuer, organiser, prolonger une promenade.

PROMESSE alléchante, confidentielle, convaincante, déraisonnable, exagérée, fausse, impossible, intéressante, irréalisable, irresponsable, réaliste, réfléchie, séduisante, sérieuse, sincère, spontanée, vague. Annuler, arracher, honorer, oublier, réaliser, remplir, renier, respecter, trahir sa promesse; être fidèle, manquer à sa promesse; revenir sur sa promesse.

PRONONCIATION bizarre, claire, correcte, défectueuse, distinguée, élégante, étrange, exagérée, exceptionnelle, naturelle, nette, parfaite, relâchée. Avoir une prononciation (+ adjectif); soigner, surveiller sa prononciation.

PROPOSITION absurde, acceptable, avantageuse, déconcertante, extravagante, ferme, flatteuse, généreuse, honnête, inacceptable, inespérée, insultante, modeste, réaliste, ridicule, séduisante, sérieuse, sincère, suspecte, vague. *Accepter, écouter, examiner, formuler, recevoir, refuser, rejeter, saisir une proposition; sauter sur une proposition.*

PROPRETÉ douteuse, éclatante, excessive, exemplaire, extrême, impeccable, irréprochable, maniaque, méticuleuse, minutieuse, obsessionnelle, parfaite, rare, remarquable. *Briller, être, reluire d'une propreté (+ adjectif).*

PROPRIÉTÉ abandonnée, cossue, élégante, gigantesque, humble, huppée, immense, imposante, luxueuse, minuscule, moderne, modeste, prestigieuse, ravissante, somptueuse, spacieuse, splendide, superbe, vaste, vétuste. *Aménager, entretenir, posséder une propriété.*

PROTESTATION agressive, bruyante, discrète, efficace, énergique, excessive, faible, farouche, justifiée, modérée, timide, vague, vigoureuse, violente, vive. *Calmer, causer, déclencher, exprimer, provoquer, soulever une/ des protestation(s). Des protestations durent, s'accentuent, s'amplifient, s'élèvent, se taisent.*

PRUDENCE élémentaire, exagérée, exemplaire, extrême,

infinie, injustifiée, insuffisante, maladive, particulière, raisonnable, sage. *Avoir, montrer une prudence (+ adjectif); inciter, inviter, rappeler à la prudence; manquer, redoubler, s'armer de prudence; recommander la prudence.* La prudence est de mise, reste en vigueur, s'impose.

PUANTEUR abominable, atroce, envahissante, gênante, horrible, incommodante, insupportable, nauséabonde, persistante, repoussante, suffocante, tenace, violente. *Dégager, émettre, exhaler, répandre, sentir une puanteur (+ adjectif).* Une puanteur envahit, persiste, se dégage, se dissipe, se répand, s'imprègne.

PUBLIC admiratif, assidu, averti, capricieux, chaleureux, clairsemé, curieux, déchaîné, délirant, émerveillé, enthousiaste, exigeant, fasciné, fervent, fidèle, froid, passionné, raffiné, ravi, réceptif, restreint, survolté, tiède, varié, vaste. *Affronter, atteindre, attirer, charmer, conquérir, décevoir, enthousiasmer, gagner, séduire un/le/son public.* Un public applaudit, apprécie, chahute, crie, explose, hurle, ovationne, réagit.

PUBLICITÉ accrocheuse, amusante, banale, bête, choc,

convaincante, débile, déloyale, efficace, ennuyeuse, géniale, informative, intelligente, originale, persuasive, provocante, ratée, réussie, sérieuse, sexiste, sobre, spectaculaire, subtile, trompeuse, vaste, vulgaire. *Afficher, créer, entendre, réaliser, regarder, retirer une* publicité*; être inondé de* publicité*; résister à la* publicité*; se laisser influencer par la* publicité.

PUNITION cruelle, démesurée, disproportionnée, douce, excessive, exemplaire, humiliante, injustifiée, juste, légère, lourde, raisonnable, rigoureuse, rude, sévère, suffisante, terrible. *Administrer, adoucir, appliquer, donner, durcir, éviter, mériter, recevoir, subir une* punition.

PUPILLE ardente, brillante, claire, dilatée, éblouie, éteinte, étincelante, étroite, fixe, floue, foncée, humide, immense, minuscule, pétillante, radieuse, sèche, terne, vague, vitreuse, vive. *Avoir la* pupille *(+ adjectif).* Une pupille brille, étincelle, s'agrandit, se dilate, se referme, se rétrécit.

PUPITRE boiteux, dégagé, désordonné, encombré, étroit, immense, impeccable, large, taché. *Débarrasser, nettoyer, ranger son* pupitre.

PYJAMA ajusté, ample, bariolé, chaud, confortable, défraîchi, douillet, doux, élégant, élimé, épais, flottant, froissé, impeccable, léger, mince, rayé, satiné, superbe, usé. *Enfiler, enlever, mettre, passer, ôter, porter, quitter un/son* pyjama*; se vêtir d'un* pyjama.

Q

QUALIFICATIF adéquat, approprié, choisi, élogieux, excellent, excessif, flatteur, juste, méprisant, négatif, positif, vague. *Associer, attribuer, chercher, employer, trouver un qualificatif.*

QUALITÉ constante, discutable, douteuse, excellente, exceptionnelle, fondamentale, garantie, indispensable, inférieure, irréprochable, médiocre, moyenne, particulière, piètre, supérieure, variable. *Être d'une qualité (+ adjectif).*

QUANTITÉ approximative, astronomique, colossale, déterminée, excessive, faible, faramineuse, importante, impressionnante, incalculable, inférieure, infime, minuscule, modérée, suffisante, totale, variable, vertigineuse. *Augmenter, contenir, diminuer, maintenir, restreindre une quantité.*

QUARTIER animé, branché, calme, chaud, chic, cossu, dangereux, défavorisé, élégant, éloigné, florissant, huppé, insalubre, luxueux, malfamé, misérable, miteux, modeste, paisible, pauvre, piétonnier, populaire, prospère, surpeuplé, riche, tranquille, vivant. *Habiter le/dans le quartier; raser, revitaliser un quartier.*

QUERELLE acharnée, banale, farouche, ridicule, sanglante, violente, virulente. *Apaiser, attiser,* calmer, provoquer, régler une querelle; intervenir, s'interposer dans une querelle; mettre fin, se mêler à une querelle. Une querelle éclate, s'aggrave, s'amplifie, se rallume.

QUESTION absurde, amusante, angoissante, audacieuse, banale, compliquée, controversée, cruciale, déconcertante, déplacée, directe, embarrassante, essentielle, franche, gênante, indiscrète, innocente, insoluble, piège, précise, résolue, sensée, simple, sotte, superflue, taboue, urgente, vague. *Aborder, approfondir, comprendre, contourner, discuter, éviter, examiner, lancer, régler une question.* Une question se complique, se formule, se pose, se présente, subsiste, surgit.

QUEUE (*d'un animal*) courte, droite, énorme, épaisse, flamboyante, fourchue, frétillante, hérissée, longue, mince, nerveuse, ondulante, pendante, plate, recourbée, splendide, touffue. *Agiter, redresser, remuer, se branler, replier, retrousser la queue; avoir la queue (+ adjectif).* Une queue frétille, remue, s'agite, se dresse. □(*foule*) agitée, bigarrée, clairsemée, disparate, immense, infinie, interminable, longue, tranquille. *Former une queue.* Une queue s'aligne, se déploie, se forme, s'étend, s'étire.

R

RABAIS appréciable, considérable, exceptionnel, important, intéressant, léger, substantiel. *Accorder, avoir, consentir, réclamer un rabais; bénéficier d'un rabais.*

RACINE apparente, bulbeuse, chevelue, entière, fine, longue, noueuse, profonde. *Développer, pousser des racines.* Une racine paraît, pousse, rampe, s'enfonce, serpente, surgit.

RACISME actif, criant, croissant, évident, omniprésent, profond, tenace. *Alimenter, combattre, dénoncer, éliminer, engendrer, tolérer le racisme; souffrir du racisme.* Le racisme explose, progresse, recule, régresse, s'accentue, s'intensifie.

RADIO *Allumer, baisser, couper, écouter, fermer, ouvrir la radio; faire de la radio; parler, passer, travailler à la radio.*

RAFRAÎCHISSEMENT brusque, considérable, léger, lent, marqué, progressif, rapide, soudain.

RAISON cachée, complexe, connue, excellente, fausse, floue, inacceptable, inexpliquée, ingénieuse, invraisemblable, logique, particulière, plausible, précise, ridicule, satisfaisante, secrète, sérieuse, valable. *Chercher, comprendre, connaître, découvrir, donner, entendre, fournir, savoir, s'inventer, trouver la/les raison(s).*

RAISONNEMENT biaisé, bizarre, clair, compliqué, douteux, excellent, impeccable, incohérent, insensé, juste, logique, obscur, profond, simple, solide. *Élaborer, comprendre, critiquer, démolir, développer, formuler, suivre un raisonnement.* Un raisonnement échoue, s'écroule, se tient.

RANCUNE ancienne, féroce, inapaisable, inassouvie, justifiée, profonde, secrète, tenace, vivace. *Avoir, engendrer, entretenir, éprouver, garder, nourrir une/de la rancune.* Une rancune couve, dure, persiste, s'installe.

RANDONNÉE agréable, ardue, exigeante, exténuante, fatigante, rapide, revigorante, rude, solitaire, tranquille. *Faire, organiser, proposer, réaliser une randonnée; partir en randonnée; pratiquer la randonnée; s'adonner à la randonnée.*

RANGEMENT désordonné, harmonieux, méthodique, méticuleux, rapide, sommaire, vague. *Achever, ébaucher, tenter un rangement; faire du rangement.*

RAPIDITÉ croissante, déconcertante, étourdissante, excessive, foudroyante, incroyable, inouïe, modérée, réduite, surprenante. *Être d'une* rapidité *(+ adjectif).* Une rapidité augmente, croît, diminue, s'intensifie.

RAQUETTE (*de tennis,* etc.) courte, étroite, fragile, frêle, large, légère, longue, lourde, performante, puissante, robuste, solide. *Frapper, jouer avec une* raquette*; se munir d'une* raquette*.* □(*à neige*) courtes, étroites, larges, légères, longues, robustes. *Chausser, mettre, porter des* raquettes*; faire de la* raquette*; marcher, se mouvoir avec des* raquettes*.*

RASSEMBLEMENT bruyant, clairsemé, compact, dense, énorme, enthousiaste, géant, gigantesque, houleux, immense, impressionnant, modeste, pacifique. *Disperser, empêcher, faire évacuer, interdire, organiser un* rassemblement*.* Un rassemblement augmente, grossit, s'accroît, s'agglutine, se disperse, se forme, se répand.

RECETTE allégée, compliquée, créative, excellente, exotique, exquise, facile, fade, fine, infaillible, ingénieuse, inventive, rapide, savoureuse, simple, succulente, traditionnelle. *Créer, cuisiner, goûter, manquer, préparer, réaliser, réussir, savourer une* recette*.*

RECHERCHE approfondie, attentive, avancée, brève, complète, désordonnée, détaillée, fouillée, fructueuse, laborieuse, longue, méticuleuse, minutieuse, passionnante, rigoureuse, sérieuse, systématique, utile. *Abandonner, achever, continuer, effectuer, entreprendre, faire, interrompre une/des* recherche(s)*; faire de la* recherche*.*

RÉCIT aberrant, banal, bouleversant, bref, captivant, coloré, confus, détaillé, effroyable, ennuyeux, fantastique, fictif, fidèle, horrible, incohérent, intéressant, intrigant, mouvementé, précis, savoureux, simple, surprenant, tragique, troublant, vraisemblable. *Composer, écouter, écrire, embellir, embrouiller, interrompre, poursuivre, raconter, simplifier un* récit*.*

RÉCOLTE abondante, catastrophique, considérable, désastreuse, excellente, exceptionnelle, faste, généreuse, inespérée, maigre, mauvaise, médiocre, misérable, mûre, passable, pauvre, piètre, phénoménale, précoce, prodigieuse, record, superbe, tardive. *Achever, commencer, engranger, faire, rentrer la* récolte*; procéder à la* récolte*.*

RÉCOMPENSE ample, fabuleuse, généreuse, honorifique, inattendue, inestimable, juste, méritée, prestigieuse, somptueuse, suprême, symbolique. *Accepter, accorder, décerner, donner, espérer, mériter, obtenir, présenter, promettre, recevoir, réclamer une récompense.*

RECORD époustouflant, historique, imbattable, inédit, inégalable, inégalé, officiel, piètre, prodigieux, remarquable, sensationnel. *Abaisser, améliorer, battre, détenir, égaliser, établir, réaliser un record.*

RÉCRÉATION courte, longue, mouvementée. *Écourter, interrompre, perturber, prolonger, surveiller une récréation.*

RÉDACTION admirable, amusante, banale, captivante, claire, confuse, dense, ennuyeuse, excellente, laborieuse, médiocre, monotone, originale, soignée. *Composer, écrire, remettre une rédaction; contribuer, participer, travailler à la rédaction de (un article, un texte, etc.).*

RÉFRIGÉRATEUR garni, rangé, rempli, vide. *Approvisionner, dégarnir, nettoyer, ranger, remplir, vider un réfrigérateur.*

REFUS borné, brutal, catégorique, courtois, définitif, énergique, ferme, formel, humiliant, incompréhensible, injustifiable, irrévocable, obstiné, poli, sec, systématique. *Essuyer, exprimer, justifier, recevoir un refus; s'attendre, se buter, se heurter à un refus.*

REGARD absent, admiratif, affectueux, affolé, agressif, amical, amoureux, amusé, angoissé, approbateur, compréhensif, craintif, cruel, curieux, dégoûté, distrait, ébloui, émouvant, épanoui, espiègle, éteint, éveillé, expressif, fixe, foudroyant, furieux, furtif, fuyant, glacial, hébété, horrifié, insistant, insoutenable, intelligent, larmoyant, moqueur, navré, nostalgique, observateur, rêveur, scrutateur, serein, sévère, sincère, songeur, soupçonneux, soutenu, surpris, timide, tourmenté, triste, vague, vide, vif, vitreux, voilé. *Adresser, attirer, braquer, détourner, échanger, fixer, fuir, interpréter, jeter, lancer, poser, tourner un/le/son regard; dévorer, examiner, foudroyer, fusiller, implorer, menacer, scruter, suivre, supplier du regard.* Un regard fuit, parcourt, pénètre, s'arrête, scintille, scrute, se dérobe, se détourne, se durcit, se fixe, se porte, se pose, s'éteint, se voile.

RÉGIME affaiblissant, affamant, allégé, amincissant, draconien, dur, énergétique, épuisant, équilibré, nourrissant, rigoureux, sain, sévère, strict. *Adopter, enfreindre, entreprendre, observer, prescrire, recommander, suivre un* régime*; renoncer, se soumettre à un* régime*; se mettre au* régime*.*

RÉGION accidentée, agréable, aride, calme, dangereuse, désertique, dévastée, éloignée, frontalière, inhabitée, isolée, misérable, montagneuse, perdue, reculée, sauvage, surpeuplée. *Arpenter, explorer, fréquenter, parcourir, traverser, visiter une* région*.*

RÈGLEMENT abusif, contraignant, efficace, flou, drastique, inadapté, précis, rigide, rigoureux, sévère, souple, strict. *Appliquer, contourner, établir, mettre en vigueur, observer, respecter, suivre un/des* règlement(s)*; désobéir, se soumettre à un* règlement*.*

REGRET amer, déchirant, douloureux, extrême, hypocrite, immense, nostalgique, profond, sincère, tardif, vague, vif. *Éprouver, étouffer, formuler, manifester, témoigner un/ses* regret(s)*.* Un regret persiste, se dissipe, surgit.

REMARQUE amère, amusante, banale, cinglante, défavorable, déplacée, désagréable, drôle,

élogieuse, fine, flatteuse, importante, injustifiée, insultante, intéressante, ironique, irrespectueuse, maladroite, méprisante, moqueuse, pertinente, sensée, utile, vexante. *Adresser, exprimer, faire, formuler, lancer, relever une/des* remarque(s)*.*

REMÈDE approprié, calmant, doux, efficace, éprouvé, expérimenté, fiable, fort, infaillible, inoffensif, inutile, miracle, puissant, spécifique, sûr, universel. *Administrer, conseiller, donner, employer, essayer, prendre, prescrire, refuser, tolérer un* remède*.* Un remède agit, guérit, soulage.

REMERCIEMENT chaleureux, ému, hypocrite, profond, respectueux, sincère, tardif, touchant, vif. *Adresser, balbutier, échanger, faire, formuler un/des/ses* remerciement(s)*; se confondre en* remerciements*.*

RENARD (féminin: **renarde**) futé, glouton, gourmand, maigre, malin, rusé, vorace. Un renard attaque, furète, guette, rôde; (**ses cris**) glapit, jappe.

RENCONTRE (*entretien, rendez-vous*) agréable, brève, émouvante, étrange, fructueuse, houleuse, imprévue, inoubliable, insolite, marquante, mémorable, préméditée, secrète, stimulante, tendue. *Accorder, arranger, demander, empêcher, faciliter, faire, organiser, prévoir, proposer, provoquer une* rencontre. ☐(*sport*) acharnée, amicale, captivante, décevante, décisive, importante, inégale, intéressante, médiocre, mouvementée, musclée, passionnante, serrée, spectaculaire, terne. *Annuler, arbitrer, disputer, gagner, organiser, perdre, remporter, suivre une* rencontre; *assister, participer à une* rencontre.

RENDEZ-VOUS attendu, bref, clandestin, décisif, discret, galant, secret, urgent. *Accorder, annuler, arranger, confirmer, décommander, demander, donner, fixer, manquer, obtenir, organiser, prendre, proposer, repousser un* rendez-vous.

RENSEIGNEMENT complémentaire, confidentiel, crédible, erroné, exact, faux, fiable, important, inaccessible, intéressant, officiel, partiel, précieux, précis, secret, sûr, utile, vague, vérifiable, vrai. *Chercher, communiquer, demander, dénicher, détenir, dévoiler, divulguer, donner, fournir, obtenir, recevoir, recueillir, réunir, trouver, vérifier un/des* renseignement(s). Des renseignements abondent, affluent, arrivent, concordent, manquent.

RENTRÉE agitée, calme, paisible, pénible, sereine, tapageuse, tendue, tranquille. *Connaître, faire une* rentrée *(+ adjectif); inaugurer, préparer la* rentrée.

REPAS agréable, bruyant, chic, copieux, ennuyeux, exquis, fabuleux, fastueux, festif, fin, frugal, gastronomique, infect, interminable, modeste, rapide, réussi, royal, savoureux, silencieux, simple, sobre, soigné, somptueux, succulent, tardif, typique. *Apprêter, décommander, expédier, improviser, offrir, partager, prendre, préparer, réussir, sauter, savourer, servir un* repas; *prendre part à un* repas. Un repas se prolonge, s'éternise, traîne.

RÉPONSE absurde, affirmative, ambiguë, approximative, brève, cinglante, claire, convaincante, déconcertante, définitive, détaillée, exacte, favorable, floue, franche, hésitante, indirecte, intelligente, juste, négative, nuancée, partielle, pertinente, polie, précise, prudente, rassurante, réfléchie, satisfaisante, sérieuse, sincère, spirituelle, spontanée. *Attendre, avancer, balbutier, chercher, demander, deviner, donner, écouter, risquer, suggérer, trouver une* réponse. Une réponse fuse, jaillit, tarde à venir.

REPROCHE amer, amical, détourné, discret, doux, dur, fondé, grave, indirect, justifié, léger, sévère, violent. *Adoucir, adresser, essuyer, faire, mériter, recevoir, s'attirer, subir un/des reproche(s); riposter, s'exposer à un/des reproche(s).*

REPTILE hideux, paisible, rapide, repoussant. Un reptile mord, ondule, pique, rampe, somnole; (*son cri*) souffle.

RÉPUTATION déplorable, douteuse, établie, excellente, fausse, flatteuse, immense, inattaquable, intacte, irréprochable, lamentable, piètre, scandaleuse, solide, surfaite. *Acquérir, attaquer, compromettre, conserver, démolir, effacer, entacher, maintenir, perdre, préserver, risquer, ruiner, salir, se construire, soigner, ternir une réputation; bénéficier, jouir d'une réputation (+ adjectif).*

REQUIN énorme, furieux, géant, puissant, redoutable, sournois, vorace. Un requin attaque, plonge, surgit.

RESPECT aveugle, élémentaire, énorme, excessif, feint, fervent, mutuel, profond, rigoureux, sincère, solide. *Attirer, feindre, imposer, inspirer, mériter le respect; éprouver, montrer, ressentir, témoigner du respect; manquer de respect.*

RESPIRATION anormale, bruyante, calme, courte, difficile, essoufflée, haletante, légère, oppressée, paisible, profonde, rapide, rauque, régulière, saccadée, silencieuse. *Avoir une/la respiration (+ adjectif).*

RESPONSABILITÉ colossale, contraignante, écrasante, énorme, enrichissante, excessive, grave, immense, importante, ingrate, limitée, lourde, majeure, mineure, terrible. *Accepter, assumer, décliner, déléguer, éviter, prendre, refuser une/des/sa/ses responsabilité(s); aimer, craindre, fuir les responsabilités.*

RESTAURANT bondé, branché, chaleureux, cher, chic, couru, désert, élégant, excellent, gastronomique, huppé, infect, luxueux, minable, modeste, paisible, populaire, prestigieux, raffiné, réputé, sélect, sympathique, typique. *Dénicher, fréquenter, recommander, tenir un restaurant.*

RÉSULTAT avantageux, catastrophique, convaincant, décevant, déconcertant, déprimant, déterminant, encourageant, étonnant, exceptionnel, faible, humiliant, impressionnant, inacceptable, inespéré, insatisfaisant, instantané, lamentable, mirobolant, modeste, piètre, préoccupant, prévisible, rassurant, remarquable, spectaculaire, surprenant. *Atteindre, enregistrer, exiger, fournir, gonfler, obtenir, prévoir, rechercher, viser, vouloir un/des résultat(s).*

RETARD considérable, énorme, habituel, important, imprévu, inévitable, inexplicable, injustifié, inquiétant, intentionnel, intolérable, léger, long, minime, négligeable, occasionnel, sérieux, voulu. *Causer, entraîner, excuser, justifier, occasionner, pardonner, rattraper, subir un retard; être, se mettre en retard.*

RETOUR anticipé, définitif, difficile, éventuel, forcé, hâtif, immédiat, imprévu, inespéré, précipité, remarqué, tardif, volontaire. *Annoncer, avancer, fixer, précipiter, retarder un/son retour. Un retour a lieu, s'effectue, se produit.*

RÉUSSITE assurée, éclatante, étonnante, étourdissante, exceptionnelle, exemplaire, formidable, fragile, importante, incertaine, incroyable, inespérée, mémorable, modeste, parfaite, réelle, spectaculaire, superbe, vraie. *Célébrer, compromettre, espérer une réussite.*

RÊVE (*pendant le sommeil*) affreux, agité, angoissant, bizarre, cauchemardesque, confus, curieux, délicieux, effrayant, étrange, heureux, insensé, interminable, interrompu, pénible, prémonitoire, terrifiant, troublant. *Faire, interpréter un rêve; sortir d'un rêve.* □(*désir, souhait*) ambitieux, audacieux, brisé, extravagant, fou, grandiose, impossible, inaccessible, réalisable, secret, vieux. *Abandonner, caresser, confier, réaliser un rêve; renoncer à un rêve. Un rêve s'accomplit, se brise, s'écroule, se réalise, s'effondre, s'évanouit, vole en éclats.*

RÉVEIL brusque, brutal, désagréable, difficile, douloureux, doux, joyeux, naturel, pénible, précoce, subit, tardif. *Avoir un réveil (+ adjectif).*

REVENU convenable, décent, dérisoire, élevé, excellent, faible, faramineux, fixe, insuffisant, mince, modeste, modique, moyen, raisonnable, ridicule. *Augmenter, dépenser, recevoir, toucher un/son/ses revenu(s); avoir un revenu (+ adjectif).*

REVERS (*défaite, échec*) assuré, capital, cinglant, décisif, désastreux, fatal, honteux, humiliant, inévitable, prévisible, spectaculaire, terrible. *Encaisser, essuyer,*

éviter, subir un/des revers.
☐*(tennis)* fabuleux, faible, foudroyant, impeccable, piètre, puissant, raté, réussi, solide, victorieux. *Effectuer, exécuter, faire, rater, réussir un revers.*

RICHESSE colossale, éhontée, excessive, extrême, fabuleuse, immense, importante, impressionnante, incalculable, incroyable, indécente, inépuisable, inestimable, insoupçonnée, instantanée, scandaleuse. *Accumuler, acquérir, conserver, dépenser, dilapider, engloutir, étaler, gaspiller, léguer, perdre, posséder, répartir des/les/ sa/ses richesse(s).*

RIRE cascadant, clair, communicatif, cynique, éclatant, étouffé, forcé, fou, frais, franc, gêné, grossier, hystérique, insolent, insultant, interminable, joyeux, moqueur, nerveux, niais, perçant, prolongé, provocant, sarcastique, sec, spontané, stupide, vulgaire. *Éclater, mourir, pouffer, se pâmer, se tordre de rire.* Un rire éclate, fuse, résonne, retentit, s'égrène, se prolonge, s'éteint.

RISQUE calculé, certain, considérable, croissant, disproportionné, excessif, faible, fatal, haut, immense, important, insensé, insignifiant, inutile, léger, limité, minime, partagé, réduit, réel,

sérieux, terrible. *Accepter, comporter, courir, diminuer, envisager, éviter, exclure, mesurer, peser, prendre, réduire, refuser un/des/ le/les risque(s).* Un risque demeure, diminue, grandit, menace, s'accroît.

RIVALITÉ absurde, acharnée, ancienne, féroce, furieuse, insurmontable, mesquine, réelle, secrète, sournoise, spontanée, tenace, vieille, violente, vivace. *Alimenter, entretenir, nourrir une rivalité.*

RIVIÈRE asséchée, basse, calme, capricieuse, étendue, fougueuse, haute, imprévisible, lente, majestueuse, navigable, nonchalante, paisible, paresseuse, poissonneuse, profonde, rapide, sinueuse, tortueuse, tranquille, turbulente, vive. *Descendre, franchir, longer, passer, remonter, traverser une rivière.* Une rivière arrose, baisse, coule, court, déborde, est en crue, sort de son lit, monte, moutonne, ondule, se retire, serpente, stagne, vagabonde, zigzague.

ROBE ajustée, ample, austère, chic, colorée, coquette, courte, débraillée, décolletée, défraîchie, démodée, discrète, élégante, élimée, étroite, évasée, extravagante, fraîche, fripée, froissée, légère, longue, modeste, moulante, ravissante, serrée, seyante, simple, sobre, somptueuse, stricte, transparente, usée, vaporeuse, voyante. *Enfiler, enlever, froisser, mettre, ôter, passer, porter, revêtir une robe.* Une robe colle, flotte, gode, moule, serre.

ROCHER abrupt, aride, arrondi, escarpé, gigantesque, haut, imposant, inaccessible, infranchissable, lisse, plat, pointu, poli, sculpté, solitaire. *Descendre, escalader, gravir, grimper un rocher.* Un rocher se dresse, se profile, surgit.

RÔLE actif, capital, crucial, décisif, déterminant, effacé, flou, fondamental, important, ingrat, insignifiant, modeste, passif, prestigieux. *Assurer, exercer, occuper, remplir un rôle.*

ROMAN banal, captivant, célèbre, décevant, délicieux, divertissant, ennuyeux, étrange, excellent, exotique, fantastique, ingénieux, intéressant, interminable, intrigant, léger, magnifique, médiocre, mièvre, minable, mince, original, palpitant, passionnant, populaire, raté, réaliste, réussi, volumineux. *Composer, dévorer, écrire, éditer, porter à l'écran, publier, rédiger, savourer un roman.*

RONDELLE bondissante, immobilisée, sautillante. *Arrêter, attraper, bloquer, dégager, envoyer, frapper, intercepter, lancer, passer, rater, recevoir, renvoyer, saisir, toucher une/la rondelle.*

ROSE (*fleur*) coupée, cultivée, délicate, éclose, effeuillée, épanouie, épineuse, fanée, flétrie, fraîche, odorante, sauvage. *Cultiver, cueillir, offrir, planter une/des rose(s).* □(*couleur*) agressif, bonbon, clair, éclatant, éteint, fané, fuchsia, pâle, pimpant, saumon, tendre, vieux, vif.

ROUGE ardent, bordeaux, cerise, clair, coquelicot, corail, écarlate, éclatant, feu, flamme, foncé, franc, rubis, safran, sang, tomate, vif.

ROUTE abîmée, asphaltée, barrée, bondée, boueuse, cahoteuse, caillouteuse, carrossable, congestionnée, craquelée, défoncée, dégagée, déserte, entretenue, fréquentée, goudronnée, impraticable, interminable, monotone, pavée, plane, poussiéreuse, rectiligne, sablonneuse, sinueuse, tortueuse.

ROUX (féminin: **rousse**) ardent, carotte, chaud, clair, cuivré, doré, éblouissant, éclatant, étincelant, flamboyant, foncé, intense, orangé, pâle, prononcé, sombre, soutenu, vif.

RUBAN assorti, coloré, étroit, fin, large, mince. *Nouer, passer, poser, tresser un* ruban; *orner d'un* ruban.

RUDESSE excessive, extrême, inaccoutumée, inouïe, menaçante, rare, stupéfiante. *Être, faire preuve d'une* rudesse *(+ adjectif).*

RUE animée, barrée, bondée, calme, commerçante, dégagée, déserte, éclairée, embouteillée, fréquentée, illuminée, misérable, obscure, obstruée, paisible, passante, pavée, piétonnière, pittoresque, populeuse, silencieuse, sombre, sûre, tranquille, vivante. *Arpenter, bloquer, emprunter, habiter, prendre, traverser une* rue; *déambuler, errer, flâner, manifester, marcher, se balader, traîner dans la/les* rue(s); *demeurer, s'engager, se promener, tourner dans une* rue. Une rue bifurque, descend, grimpe, s'arrête, se rétrécit, serpente, se sépare, tourne.

RUELLE animée, boueuse, calme, déserte, endormie, escarpée, étroite, obscure, pentue, sale, sinueuse, sombre, sordide. *Emprunter, entretenir une* ruelle; *entrer, flâner, se balader, se promener dans une* ruelle.

RUGISSEMENT bestial, douloureux, effrayant, épouvantable, faible, menaçant, plaintif, strident, terrible, terrifiant. *Émettre, entendre, pousser un/des* rugissement(s). Un rugissement jaillit, se fait entendre, s'élève, surgit.

RUISSEAU boueux, clair, cristallin, desséché, fangeux, gazouillant, impétueux, lent, limpide, marécageux, mince, minuscule, murmurant, paisible, poissonneux, profond, rapide, silencieux, sinueux, stagnant, tortueux, tranquille. *Descendre, enjamber, franchir, longer, passer, remonter, traverser un* ruisseau. Un ruisseau babille, chante, coule, court, déborde, murmure, serpente, zigzague.

RYTHME accéléré, affolant, cadencé, doux, endiablé, entraînant, épuisant, essoufflant, étourdissant, excessif, hallucinant, harmonieux, infernal, lent, monotone, nonchalant, paisible, rapide, régulier, saccadé, soutenu, tranquille, trépidant, vertigineux, vif. *Accélérer, garder, interrompre, maîtriser, marquer, ralentir, réduire, tenir un/le* rythme. Un rythme décroît, ralentit, s'accélère, s'affole, s'atténue, se maintient, s'emballe, se stabilise.

S

SABLE abrasif, blanc, blond, boueux, brûlant, brun, chaud, clair, doré, étincelant, ferme, fin, foncé, grenu, gris, grossier, humide, immaculé, jaune, léger, marin, mou, nacré, noir, ocre, rouge, rugueux, tiède. Le sable poudroie, se soulève.

SAISON agréable, avancée, bizarre, chaude, clémente, confortable, courte, douce, ensoleillée, exceptionnelle, fraîche, froide, hâtive, humide, insupportable, interminable, longue, médiocre, pluvieuse, précoce, rigoureuse, sèche, tardive, torride, triste. Une saison avance, débute, s'achève, se termine, tire à sa fin.

SALADE assaisonnée, composée, copieuse, croquante, croustillante, fanée, fraîche, légère, mélangée, mixte, raffinée, verte. Assaisonner, couper, cueillir, déguster, essorer, essuyer, faire, goûter, laver, manger, préparer, remuer, savourer une/la salade.

SALAIRE alléchant, astronomique, colossal, confortable, convenable, décent, élevé, excellent, faible, faramineux, impressionnant, insuffisant, juste, maigre, minable, minime, misérable, modeste, raisonnable, ridicule. Demander, gagner, mériter, payer, recevoir, toucher, verser un salaire.

SALLE (pièce) bondée, comble, délabrée, déserte, éclairée, encombrée, enfumée, immense, minuscule, obscure, poussiéreuse, spacieuse, vaste, vide. Entrer, pénétrer dans une salle; évacuer, quitter une salle. □(auditoire) agitée, attentive, bruyante, clairsemée, déchaînée, délirante, enthousiaste, frémissante, hostile, joyeuse, surchauffée, vibrante. Captiver, charmer, conquérir, émouvoir une salle. Une salle applaudit, chahute, gronde, hue, hurle, ovationne, se lève, siffle.

SANDWICH chaud, croustillant, délicieux, exquis, froid, garni, grillé, léger, lourd, mince, nourrissant, savoureux, succulent, volumineux. Garnir, préparer, servir un sandwich; se nourrir d'un sandwich.

SANG clair, contaminé, épais, fluide, frais, pauvre, rare, riche. Cracher, donner, perdre, tirer, transfuser, vomir du sang. Le sang coule, éclabousse, gicle, ruisselle, se coagule, s'écoule, se répand.

SANG-FROID défaillant, étonnant, exceptionnel, exemplaire, formidable, impressionnant, rare, solide. Afficher, avoir, montrer un sang-froid (+ adjectif); conserver, garder, perdre son sang-froid.

SANTÉ altérée, chancelante, déclinante, déficiente, délicate, exceptionnelle, fragile, normale, parfaite, précaire, resplendissante, robuste, solide, vacillante, vigoureuse. *Avoir, posséder une santé (+ adjectif); conserver, détruire, ménager, négliger, perdre, recouvrer, s'abîmer, se ruiner, surveiller, user la/sa santé; déborder, rayonner, resplendir de santé.* Une santé décline, inquiète, s'affaiblit, s'améliore.

SAUCE claire, crémeuse, épaisse, légère, onctueuse, veloutée.

SAUTERELLE destructrice, dévastatrice, énorme, malfaisante, nuisible, vrombissante. *Chasser les sauterelles; lutter contre les sauterelles.* Une sauterelle bondit, s'agrippe, saute, se repose; **(ses cris)** crisse, stridule.

SAVANT (féminin : **savante**) célèbre, distingué, éminent, faux, génial, illustre, infatigable, modeste, passionné, patient, persévérant, renommé, réputé.

SAVEUR âcre, agréable, aigre, amère, délicate, douce, exquise, fade, forte, fraîche, fruitée, légère, marquée, mielleuse, piquante, précise, prononcée, rare, riche, salée, soutenue, subtile, sucrée, sure, veloutée. *Avoir, présenter une saveur (+ adjectif); avoir de la saveur.*

SCÈNE (*estrade, décor*) dépouillée, éclairée, étroite, exiguë, immense, large, lumineuse, sombre, spacieuse, tournante, vaste, vide. *Apparaître, arriver, entrer en scène; quitter, traverser la scène; se produire en scène; sortir de scène.* □(*événement*) atroce, attendrissante, bouleversante, brutale, déchirante, émouvante, grotesque, insoutenable, touchante, tragique, troublante. *Assister à une scène (+ adjectif); être témoin d'une scène.* Une scène se déroule, se produit, survient.

SCIE émoussée, légère, lourde, maniable, perfectionnée, performante, polyvalente, robuste, solide. *Affûter, manier, ranger, utiliser, tenir une scie; se servir d'une scie.*

SCIENCE abstraite, difficile, étendue, inexacte, pure, rigoureuse, superficielle, vaste. *Apprendre, approfondir, enseigner, vulgariser une science; être doué pour les sciences.*

SCIENTIFIQUE chevronné, distingué, éminent, grand, illustre, renommé, solitaire.

SCORE décevant, écrasant, élevé, époustouflant, étonnant, faible, fantastique, historique, humiliant, inégalable, médiocre, moyen, parfait, respectable, sensationnel, serré. *Améliorer, augmenter, égaler, obtenir, réaliser un* score.

SCULPTURE abstraite, décorative, figurative, fine, gigantesque, grotesque, imposante, massive, monumentale, réduite. *Ébaucher, façonner, fignoler, modeler, polir, réaliser, tailler une* sculpture; *étudier, pratiquer la* sculpture. Une sculpture orne, se dresse, s'élève.

SECRET (féminin : **secrète**) étonnant, éventé, inavouable, intime, léger, lourd, terrible. *Apprendre, confier, découvrir, deviner, dévoiler, dire, ébruiter, garder, partager un* secret. Un secret s'ébruite, se répand.

SENS abstrait, ambigu, approximatif, caché, clair, concret, courant, évident, figuré, général, large, limité, littéral, péjoratif, précis, profond, propre, restreint, strict, technique, usuel, vague, vaste. *Avoir, prendre un* sens *(+ adjectif).*

SENSATION affreuse, agréable, bizarre, curieuse, douloureuse, durable, forte, incroyable, intense, légère, merveilleuse, momentanée, nette, pénible, persistante, profonde, vague, violente, vive. *Éprouver, ressentir une/des* sensation(s). Une sensation disparaît,

perdure, s'accentue, s'amplifie, se précise, s'estompe, s'intensifie, surgit.

SENTEUR agréable, délicate, douce, enivrante, envahissante, exécrable, exquise, fade, faible, forte, fraîche, horrible, insupportable, nauséabonde, persistante, pestilentielle, repoussante, suffocante, tenace, vague. *Dégager, humer, répandre, respirer une/des* senteur(s). Une senteur envahit, imprègne, s'échappe, se dégage, se répand.

SENTIER abrupt, accidenté, ardu, balisé, battu, cahoteux, détrempé, escarpé, fréquenté, glissant, impraticable, inégal, monotone, ombragé, pentu, raide, rocailleux, sablonneux, sauvage, sinueux, vertigineux. *Aménager, arpenter, emprunter, entretenir, grimper, parcourir, suivre un* sentier; *marcher, s'engager dans un* sentier. Un sentier grimpe, monte, ondule, se resserre, se rétrécie, serpente, vagabonde, zigzague.

SENTIMENT amer, amical, amoureux, cruel, déchirant, douloureux, étrange, euphorique, inavoué, persistant, profond, réconfortant, sincère, tendre, unique, vif, vigoureux. *Avouer, cacher, dissimuler, entretenir,* *éprouver, étaler, exprimer, partager, refouler, ressentir un/ses senti-ment(s).* Un sentiment croît, disparaît, grandit, mûrit, naît, perdure, ronge, s'atténue, s'éva-nouit, s'installe.

SÉPARATION brutale, courte, cruelle, déchirante, définitive, douloureuse, inévitable, irrévo-cable, momentanée, prolongée, soudaine, temporaire, totale, violente. *Amener, brusquer, entraîner, éviter, provoquer une* séparation.

SERPENT agressif, dangereux, énorme, hideux, immense, inof-fensif, lisse, minuscule, mons-trueux, redoutable, repoussant, sournois, venimeux, vorace. Un serpent darde sa langue, glisse, mord, mue, ondule, pique, rampe, se faufile, se love, s'enlace, s'enroule ; (**ses cris**) siffle, souffle.

SERVEUR (féminin : serveuse) attentionné, courtois, expéditif, impeccable, lent, piètre, poli, rapide, rude, serviable, sympa-thique.

SERVICE (*travail, au restaurant, etc.*) attentionné, chaleureux, convivial, courtois, exécrable, expéditif, impeccable, irrépro-chable, nonchalant, passable, personnalisé, pitoyable, profes-sionnel, rapide, soigné, sympa-thique. *Assurer, exécuter, soigner*

un/le *service.* □(*faveur, aide*) léger, immense, important, inesti-mable, précieux. *Accepter, demander, rendre, refuser un* service. □(*sport*) excellent, faible, foudroyant, fracassant, impeccable, lent, puissant, raide, rapide, raté, redoutable, réussi, solide. *Décocher, effectuer, exécuter un* service *(+ adjectif); gagner, perdre son* service.

SÉVÉRITÉ excessive, extrême, impitoyable, injustifiée. *Se montrer d'une* sévérité *(+ adjectif).*

SIÈGE bas, boiteux, chancelant, confortable, droit, dur, élevé, haut, moelleux, solide. *Offrir, prendre un* siège; *quitter son* siège; *s'asseoir, se laisser tomber, s'installer sur un* siège.

SIESTE bienfaisante, courte, prolongée, rafraîchissante, repo-sante, salutaire. *Faire la* sieste; *s'accorder, s'offrir une* sieste.

SIGNE encourageant, évident, infaillible, inquiétant, rassurant, visible. *Être un* signe *(+ adjectif); noter, présenter un* signe.

SIGNIFICATION ambiguë, diffé-rente, évidente, particulière, précise, profonde, réelle, simple, spécifique, vague. *Avoir, prendre une* signification *(+ adjectif).*

SILENCE angoissant, embarrassant, ému, glacial, inhabituel, inquiétant, insupportable, interminable, lourd, paisible, pensif, pesant, respectueux, tendu. *Briser, demander, exiger, garder, observer, rompre, troubler le silence; s'enfermer, s'enfoncer, vivre dans le/son silence.* Un silence perdure, règne, s'amplifie, se rompt, s'impose, s'installe.

SILHOUETTE amaigrie, athlétique, corpulente, décharnée, délicate, dodue, effilée, élancée, épaisse, filiforme, fine, fragile, gracieuse, immense, imposante, longiligne, massive, mince, minuscule, ravissante, robuste, séduisante, svelte. *Affiner, modeler, surveiller sa silhouette.*

SINGE agile, agressif, bagarreur, calme, espiègle, féroce, grand, grégaire, minuscule, moqueur, nerveux, pacifique, petit, solitaire. Un singe bondit de branche en branche, fait des acrobaties/des grimaces/des culbutes, grimpe aux arbres, se cramponne, s'épouille; (**ses cris**) crie, hurle.

SITE (*endroit, paysage, vue*) accidenté, champêtre, enchanteur, exceptionnel, fantastique, grandiose, impressionnant, luxuriant, paradisiaque, prestigieux, romantique, spectaculaire, stratégique. *Contempler, découvrir, décrire, endommager, préserver, protéger, restaurer un site.* □(*informatique*) achalandé, attrayant, complet, fréquenté, interactif, intéressant, passif, plaisant, populaire, riche, simple, spécialisé, spectaculaire, surchargé, utile. *Accéder à un site; aller, se connecter, travailler sur un site; consulter, créer, découvrir, explorer, lancer, modifier, monter, posséder, quitter, supprimer, visiter un site; pénétrer dans un site.*

SITUATION angoissante, banale, bouleversante, compliquée, cruelle, dangereuse, décourageante, désespérée, douloureuse, dramatique, drôle, embarrassante, enviable, frustrante, gênante, inacceptable, incompréhensible, inespérée, infernale, insoluble, insupportable, intéressante, misérable, passagère, pénible, permanente, préoccupante, rassurante, réjouissante, ridicule, stable, stressante, touchante, tragique, traumatisante, triste. *Aggraver, améliorer, détendre, éclaircir, embellir, empirer, envisager, examiner, maîtriser, tolérer une situation; réagir, remédier à une situation.* Une situation dégénère, évolue, s'améliore, se détériore, se maintient, s'envenime, se prolonge, se redresse, se stabilise.

SKI (*s'emploie généralement au pluriel*) désuets, courts, étroits, larges, légers, longs, lourds, minces, sophistiqués. *Aller, descendre à/en skis; apprendre, pratiquer le ski; attacher, chausser, enlever, farter, fixer, mettre ses skis; s'initier au ski*.

SKIEUR (féminin: **skieuse**) accompli, chevronné, débutant, excellent, infatigable, intrépide, moyen, novice, passable, remarquable, rouillé, superbe, rapide, redoutable.

SOCCER *Être un mordu du soccer; jouer, s'initier au soccer; pratiquer le soccer*.

SOCIÉTÉ avancée, civilisée, conservatrice, évoluée, fermée, intolérante, ouverte, primitive, puissante, sous-développée. *Bâtir, changer, observer, transformer une/la société*.

SŒUR accaparante, adorable, affectueuse, aînée, attachante, attentionné, autoritaire, cadette, compréhensive, détestable, égoïste, envieuse, généreuse, gentille, jalouse, protectrice, serviable.

SOFA capitonné, confortable, dur, moelleux, profond, spacieux, usé. *Être blotti/calé dans un sofa;*
offrir, présenter un sofa; se reposer sur un sofa.*

SOIE artificielle, brillante, fine, glissante, luisante, lustrée, naturelle, rugueuse, souple, synthétique.

SOIF ardente, excessive, extrême, horrible, immense, inapaisable, inassouvissable, insatiable, intolérable, terrible. *Apaiser, désaltérer, étancher la/sa soif. La soif se fait sentir, tourmente.*

SOIR brumeux, calme, clair, doux, étoilé, étouffant, féerique, frais, froid, glacial, humide, merveilleux, serein, tiède. *Le soir approche, arrive, surprend, tombe.*

SOIRÉE (*soir*) animée, calme, chaude, formidable, fraîche, froide, humide, inoubliable, longue, paisible, pénible, pluvieuse, sereine, tiède, tranquille. □ (*réception*) chic, dansante, fastueuse, intime, mémorable, mondaine, réussie, somptueuse, sympathique. *Aller à/dans une soirée; donner, offrir, organiser une soirée.*

SOL aride, asséché, battu, cultivable, détrempé, durci, fertile, gelé, glissant, inculte, meuble, mou, pauvre, pierreux, productif, riche, rocheux. *Cultiver, engraisser, labourer, remuer, travailler le sol.*

SOLDAT (féminin: **soldate**) audacieux, brave, combatif, courageux, discipliné, rebelle, soumis, vaillant, valeureux. *Commander, discipliner, encadrer, enrôler, entraîner, former, instruire, mobiliser, recruter un/des soldat(s).* Des soldats attaquent, combattent, désertent, se déploient.

SOLDES considérables, exceptionnels, gigantesques, importants, intéressants, substantiels. *Acheter, profiter des soldes ; courir, faire les soldes ; être, mettre, vendre en solde.*

SOLEIL ardent, aveuglant, brillant, brûlant, chaud, éblouissant, écrasant, étouffant, faible, insoutenable, radieux, rayonnant, resplendissant, timide, torride, vif, voilé. *Jouir, profiter, se protéger du soleil ; paresser, se dorer, s'installer, se prélasser, se réchauffer, s'exposer au soleil.* Le soleil apparaît, baisse, brûle, chauffe, décline, frappe, resplendit, se cache, se couche, se couvre, se lève, se voile, surgit, tape.

SOLUTION courageuse, définitive, discutable, efficace, excellente, facile, géniale, idéale, inacceptable, ingénieuse, intelligente, juste, originale, parfaite, permanente, possible, pratique, raisonnable, rapide, risquée, séduisante, sérieuse, simple, temporaire. *Chercher, envisager, exiger, fournir, imaginer, offrir, présenter, proposer, recommander, retenir, trouver une solution ; être à court/dépourvu de solutions.* Une solution se dessine, se présente, s'impose, s'offre.

SOMMEIL agité, angoissé, bienfaisant, cauchemardesque, douillet, inquiet, instantané, léger, paisible, perturbé, profond, réparateur, salutaire, spontané, tourmenté, tranquille, troublé. *Avoir besoin, s'écrouler, tomber de sommeil ; dormir, s'endormir d'un sommeil (+ adjectif); perdre, troubler, trouver, vaincre le sommeil.* Un sommeil accable, arrive, envahit, gagne, tarde à venir.

SOMMET abrupt, aplati, aride, arrondi, boisé, dénudé, désert, érodé, escarpé, impressionnant, inaccessible, lointain, neigeux, pointu, rocheux, usé, vertigineux. *Atteindre, escalader, franchir, gravir, grimper un sommet.* Un sommet domine, émerge, se dresse, s'élève, se profile, trône.

SON agaçant, aigu, bref, clair, continu, cristallin, désagréable, diffus, discordant, doux, entraînant, étouffé, faible, faux, gracieux, grave, harmonieux, léger, mélodieux, métallique, net, saccadé, strident, triste, voilé. *Baisser, couper, diminuer, enlever, éteindre, mettre, monter, régler le son; écouter, émettre, entendre, produire un/des son(s).* Un son diminue, résonne, retentit, s'accentue, s'amplifie, s'échappe, s'élève.

SORCIER (féminin : **sorcière**) affreux, bon, envoûtant, hideux, malfaisant, méchant, puissant, secourable. Un sorcier disparaît, jette un sort, surgit.

SORTIE bruyante, calme, discrète, fracassante, remarquée, spectaculaire, spontanée. *Faire, effectuer une sortie (+ adjectif).*

SOUHAIT (*vœu*) cher, sincère. *Adresser, exaucer, exprimer, formuler, offrir un/des souhait(s).* (*objectif*) ambitieux, extravagant, modeste, irréalisable, raisonnable, secret. *Accomplir, réaliser un souhait.* Un souhait s'accomplit, se réalise.

SOULIER (*s'emploie généralement au pluriel*) amples, bas, cirés, confortables, éculés, élégants, étroits, fatigués, fins, gros, hauts, plats, pointus, poussiéreux, serrés. *Cirer, enlever, frotter, lacer, mettre, porter, retirer, user les/ses souliers.* Un soulier clapote, convient, serre.

SOUPER (*s'emploie surtout au Canada, en Belgique et en Suisse*) abondant, agréable, chic, copieux, excellent, fastueux, festif, fin, gastronomique, gourmand, impeccable, impromptu, infect, modeste, raffiné, rapide, raté, réussi, savoureux, silencieux, simple, soigné, somptueux, succulent. *Décommander, donner, improviser, offrir, partager, préparer, savourer, servir un souper.*

SOUPIR content, discret, énorme, exaspéré, excédé, heureux, immense, léger, long, profond, prolongé, résigné, satisfait, sincère. *Faire, laisser échapper, pousser, retenir un soupir.*

SOURCIL (*s'emploie généralement au pluriel*) arqués, broussailleux, clairsemés, courbes, droits, drus, ébouriffés, épais, épilés, fins, fournis, froncés, gracieux, interrogatifs, menaçants, proéminents, sévères, touffus. *Épiler ses sourcils; froncer, hausser, lever, remuer les sourcils.*

SOURIRE accueillant, affectueux, aimable, amer, amusé, bienveillant, charmeur, coquin, crispé, désarmant, discret, doux, éclatant, édenté, embarrassé, émerveillé, ému, enjôleur, figé, forcé, frais, gêné, heureux, hypocrite, ingénu, insolent, insultant, ironique, irrésistible, irrespectueux, léger, méprisant, moqueur, paisible, radieux, rassurant, ravi, rayonnant, rêveur, satisfait, spontané, stupide, sympathique, timide, triste, vague. *Adresser, afficher, avoir, échanger, faire, forcer, grimacer, retenir un/le/son* sourire; *encourager, rassurer, remercier, saluer d'un* sourire. *Un* sourire *apparaît, se dessine, s'efface, s'épanouit, s'éteint.*

SOURIS (*animal*) curieuse, espiègle, fouineuse, petite, trotteuse. *Une* souris *grignote, ronge, trottine, vagit;* (*ses cris*) *chicote, couine.* ☐(*informatique*) conventionnelle, ergonomique, inversée. *Bouger, contrôler, déplacer, enfoncer, glisser, maîtriser, manier, manipuler, piloter, pointer, positionner, utiliser la* souris; *cliquer avec la* souris; (*double-*)*cliquer sur la* souris.

SOUVENIR agréable, amer, amusé, ancien, bouleversant, cauchemardesque, déchirant, douloureux, doux, émouvant, fidèle, flou, heureux, honteux, humiliant, impérissable, inoubliable, insupportable, intense, joyeux, merveilleux, obsédant, précieux, précis, récent, tenace, tendre, terrifiant, triste, vague. *Chasser, déterrer, effacer, entre-*

tenir, garder, raconter, raviver, remuer, réveiller, se rappeler un/des/ ses souvenir(s). *Un souvenir* hante, obsède, persiste, pèse, ronge, s'efface, s'estompe, s'éteint, surgit.

SPECTACLE (*vue, panorama*) admirable, amusant, charmant, décevant, déprimant, éblouissant, émouvant, enchanteur, ennuyeux, époustouflant, fabuleux, grandiose, horrible, impressionnant, inoubliable, inouï, insupportable, lamentable, navrant, odieux, rare, ravissant, saisissant, sublime, triste. ☐(*cinéma, théâtre*) amusant, captivant, couru, décevant, distrayant, émouvant, ennuyeux, époustouflant, exceptionnel, minable, novateur, passable, remarquable, ravissant, réussi, superbe, touchant. *Annoncer, créer, diriger, donner, jouer, monter, offrir, organiser, préparer, présenter, roder, voir un* spectacle; *assister à un* spectacle. *Un* spectacle débute, se déroule, se produit, tire à sa fin.

SPECTATEUR (féminin: **spectatrice**) attentif, averti, béat, bruyant, déçu, enthousiaste, euphorique, fervent, passionné. *Captiver, charmer, désappointer, ébahir, émerveiller, émouvoir, enchanter, fasciner les* spectateurs.

SPORT agréable, agressif, amateur, collectif, convivial, coûteux, dangereux, doux, dur, excessif, exigeant, individuel, intéressant, passionnant, plaisant, populaire, professionnel, rude, sain, spectaculaire, violent, viril. *Être excellent/ mauvais/nul en* sport *; exceller, se distinguer dans un* sport *; pratiquer un* sport *; s'adonner, se livrer, s'intéresser à un* sport.

SPORTIF (féminin : **sportive**) agile, combatif, complet, débutant, doué, exceptionnel, expérimenté, filiforme, infatigable, moyen, musclé, performant, piètre, rapide, remarquable, robuste, souple, talentueux, véritable. *Entraîner, former, pousser, préparer, sélectionner un* sportif.

STAR adulée, ancienne, capricieuse, déchue, exécrable, excentrique, hautaine, immense, inaccessible, internationale, locale, modeste, planétaire. *Devenir, lancer une* star.

STYLE austère, banal, bizarre, coloré, débraillé, élégant, empesé, exquis, guindé, impeccable, maladroit, maniéré, naturel, nerveux, original, osé, poli, raffiné, recherché, relâché, sévère, simple, sobre, soigné, spontané, tendu, tourmenté. *Avoir du* style *; adopter, chercher, créer un/son* style.

SUCCÈS assuré, colossal, considérable, controversé, éclatant, écrasant, éphémère, exceptionnel, fou, foudroyant, fracassant, franc, garanti, incroyable, inespéré, inouï, instantané, mérité, modeste, passager, phénoménal, prévisible, rapide, remarquable, spectaculaire, tapageur, triomphal, vertigineux. *Célébrer, savourer un* succès *; connaître, espérer, être, obtenir, souhaiter un* succès *(+ adjectif).*

SURNOM affectueux, charmant, familier, flatteur, humiliant, immérité, irrespectueux, moqueur, ridicule. *Donner, porter, prendre un* surnom.

SURPRISE amère, charmante, désagréable, douloureuse, énorme, étonnante, excellente, extrême, fâcheuse, heureuse, immense, inespérée, inexprimable, infinie, merveilleuse, profonde. *Cacher, déguiser, dominer, manifester sa* surprise *; causer, éprouver, faire, préparer, réserver une* surprise.

SUSPENSE angoissant, atroce, constant, incroyable, infernal, insoutenable, insupportable, intense, interminable, palpitant. *Aimer, alimenter, créer, entretenir, faire régner le* suspense. Un suspense continue, explose, perdure, prend fin, se prolonge.

T

TABAGISME *Éliminer, freiner le tabagisme ; se battre contre le tabagisme ; s'opposer au tabagisme.*

TABLE (*meuble*) basse, boiteuse, décorative, dépareillée, fonctionnelle, gigogne, haute, immense, légère, massive, monumentale, pliante, robuste, roulante, solide, volumineuse. *S'appuyer contre/ sur une table ; s'asseoir, s'installer à une table.* □ (*pour le repas*) improvisée, inoccupée. *Convier, inviter, recevoir à sa table ; débarrasser, desservir, dresser, mettre, quitter la table ; réserver, retenir une table ; se lever, sortir de table ; s'installer à la table.*

TABLEAU abstrait, ancien, célèbre, décoratif, fantastique, figuratif, géant, hideux, immense, magnifique, merveilleux, moderne, rare, raté, réaliste, recherché, réussi, superbe. *Accrocher, contempler, encadrer, exécuter, exposer, finir, peindre, réaliser, regarder, restaurer, retoucher, vernir un tableau.* Un tableau décore, orne, se dresse, trône.

TACHE diffuse, disgracieuse, énorme, indélébile, ineffaçable, rebelle, tenace. *Effacer, éliminer, enlever, essuyer, frotter une tache.* Une tache disparaît, s'atténue, s'élargit, s'étend.

TÂCHE abrutissante, agréable, ardue, colossale, délicate, énorme, éreintante, enrichissante, exigeante, fastidieuse, importante, impossible, ingrate, insignifiante, interminable, lourde, minutieuse, modeste, odieuse, passionnante, répétitive, risquée, routinière, rude, urgente. *Accepter, accomplir, achever, alléger, assigner, assumer, déléguer, imposer, remplir une/des tâche(s) ; être libéré, s'acquitter d'une tâche.*

TAILLE (*hauteur, grosseur, stature*) colossale, courte, démesurée, élevée, excessive, faible, gigantesque, imposante, minuscule, modeste, monumentale, moyenne, normale, réduite, respectable. *Atteindre une taille (+ adjectif); être d'une taille (+ adjectif).* □ (*partie du corps*) allongée, débordante, droite, effilée, élancée, élégante, épaisse, fine, forte, frêle, menue, mince, ronde, souple, svelte. *Avoir la taille (+ adjectif).*

TALENT caché, évident, exceptionnel, formidable, fou, gâché, immense, indéniable, inexploité, infini, inouï, insoupçonné, modeste, naturel, précoce, prometteur, rare, réel, remarquable, sûr, unique, vrai. *Avoir, cultiver, découvrir, exploiter, gâcher, nier, posséder, utiliser un/son/ses talent(s).* Un talent décline, s'affirme, s'épanouit.

TAPE affectueuse, amicale, légère, retentissante, solide, sonore. *Administrer, appliquer, donner, flanquer, lancer, recevoir une tape.*

TAPIS doux, élimé, épais, fatigué, laineux, mince, moelleux, pelucheux, précieux, ras, riche, rugueux, soyeux, usé, velu. *Battre, brosser, dérouler, enlever, secouer un tapis.*

TARTE chaude, croustillante, délicieuse, feuilletée, fine, fondante, légère, lourde, moelleuse, onctueuse, parfumée, savoureuse. *Confectionner, cuire, décorer, garnir, goûter, préparer, rater, réussir une tarte.*

TAS compact, dense, immense, impressionnant, informe, massif, varié.

TASSE ébréchée, énorme, fêlée, minuscule, pleine, profonde, vide.

TAUDIS affreux, délabré, humide, ignoble, infâme, infect, insalubre, malsain, misérable, pouilleux. *Assainir, éliminer, faire disparaître les taudis ; demeurer, loger, vivre dans un taudis ; habiter, occuper un taudis.*

TAUREAU agressif, ardent, énorme, farouche, féroce, fougueux, furieux, gigantesque, impétueux, imposant, indompté, nerveux, puissant, robuste, superbe, terrifiant, vigoureux. Un taureau fonce, rumine ; **(*ses cris*)** beugle, meugle, mugit.

TEINT basané, blême, bronzé, cadavérique, clair, cramoisi, cuivré, délicat, doré, éblouissant, éclatant, épanoui, foncé, frais, hâlé, laiteux, sain, sombre, terne, verdâtre, vilain. *Avoir, posséder un/le teint (+ adjectif); conserver, éclaircir, embellir, flétrir, protéger, rehausser, soigner le/son teint.*

TEINTE chaude, claire, criarde, dégradée, délavée, délicate, discrète, dominante, douce, éclatante, effacée, étincelante, fade, foncée, mate, neutre, pâle, riche, satinée, sombre, terne, violente, vive, voyante. *Appliquer une teinte (+ adjectif); couvrir d'une teinte; prendre une teinte (+ adjectif).*

TÉLÉPHONE *Appeler, communiquer, contacter par téléphone; être, être pendu, joindre quelqu'un, parler, répondre, s'entretenir au téléphone; se ruer sur le téléphone.* Un téléphone chauffe, crépite, retentit, sonne.

TÉLÉVISEUR *Allumer, brancher un téléviseur; éteindre, fermer,* *regarder le/son téléviseur ; rester rivé, s'installer devant son téléviseur.*

TEMPÉRAMENT actif, agressif, anxieux, ardent, artistique, chaud, combatif, dépressif, discipliné, excessif, explosif, froid, irritable, modéré, nerveux, nonchalant, optimiste, passionné, réservé, romantique, secret, tranquille, vif, vigoureux, violent, volontaire. *Adopter, afficher, avoir, posséder un tempérament (+ adjectif).*

TEMPÉRATURE (*météo*) agréable, clémente, confortable, déplorable, douce, exquise, extrême, favorable, fraîche, froide, glaciale, humide, incertaine, infernale, insoutenable, instable, insupportable. *Jouir d'une température (+ adjectif).* La température se radoucit, se rafraîchit, se refroidit. □ (*chaleur du corps*) *Avoir, faire de la température ; enregistrer, prendre, surveiller sa température/la température de quelqu'un.* La température baisse, fluctue, monte, varie.

TEMPÊTE brève, dévastatrice, éclair, effroyable, épouvantable, faible, forte, imprévisible, menaçante, puissante, soudaine, spectaculaire, terrible, tourbillonnante, violente. *Affronter, annoncer, braver, craindre, subir une tempête ; échapper, survivre à une tempête.*

Une tempête s'abat, approche, bat son plein, couve, déferle, éclate, faiblit, fait rage, gronde, menace, mugit, s'aggrave, s'annonce, s'apaise, se calme, se déchaîne, s'élève, se prépare, souffle.

TEMPS admirable, affreux, bizarre, brumeux, calme, chaud, doux, exécrable, exquis, frais, frisquet, froid, glacial, horrible, humide, idéal, incertain, infernal, instable, maussade, menaçant, nébuleux, nuageux, pluvieux, pourri, radieux, splendide, superbe, variable, venteux. *Bénéficier, jouir d'un temps (+ adjectif).* Le temps change, menace, s'améliore, s'assombrit, s'éclaircit, se couvre, se dégrade, se gâte, se radoucit, se rafraîchit, se réchauffe, se refroidit.

TENDANCE claire, forte, fragile, importante, inquiétante, légère, marquée, naturelle, nette, prononcée. *Combattre, constater, encourager, présenter une/des tendance(s).* Une tendance demeure, disparaît, émerge, s'affirme, se manifeste.

TENNIS *Jouer, s'adonner au tennis ; pratiquer le tennis.*

TENTATIVE agressive, décevante, désespérée, efficace,

faible, inutile, maladroite, manquée, réussie, risquée, sérieuse, suprême, timide, vague, vaine. *Effectuer, entreprendre, faire échouer, répéter une tentative.* Une tentative avorte, échoue, réussit.

TENTE conique, gigantesque, immense, légère, lourde, minuscule, profonde, spacieuse, vaste. *Camper, coucher, dormir, vivre sous la* tente; *déployer, dresser, installer, monter, planter, plier une/sa* tente.

TERME adéquat, approprié, choisi, concret, courant, exact, faible, flatteur, grossier, imagé, inusité, juste, populaire, précis, rare, recherché, savant, savoureux, usuel, vague. *Définir, employer, préciser un* terme.

TERRAIN accidenté, aride, boisé, bosselé, broussailleux, caillouteux, dénudé, desséché, détrempé, ferme, fertile, glaiseux, glissant, humide, marécageux, montagneux, mou, plat, rocailleux, rocheux, sablonneux, vallonné. *Aplanir, cultiver, défricher, irriguer, labourer, travailler un* terrain. Un terrain descend, ondule, s'élève, s'enfonce, s'étend, surplombe.

TERRASSE achalandée, agréable, bondée, couverte, déserte, ensoleillée, ombragée, panoramique, spacieuse, vaste. *S'asseoir, s'attabler, à une* terrasse.

TERRE appauvrie, arable, aride, asséchée, calcaire, compacte, durcie, féconde, ferme, fertile, glaiseuse, riche, sablonneuse, stérile. *Creuser, cultiver, fertiliser, labourer, laisser reposer, remuer, retourner, travailler la* terre; *pelleter, piocher de la* terre. La terre s'appauvrit, s'épuise, se repose.

TEST approfondi, concluant, efficace, infaillible, précis, rapide, révélateur, rigoureux, sévère, sommaire. *Échouer, procéder, soumettre à un test; élaborer, faire, imposer, passer, rater, réussir, subir un* test.

TÊTE allongée, aplatie, arrondie, chauve, chevelue, dégarnie, difforme, ébouriffée, énorme, fine, frisée, minuscule, moutonnée, plate, pointue, rasée, tondue, volumineuse. *Acquiescer, approuver, dodeliner de la* tête; *baisser, hocher, incliner, lever, pencher, redresser, remuer, tourner la* tête.

TEXTE boiteux, cohérent, concis, décousu, définitif, dense, explicite, impeccable, important, incompréhensible, interminable, laborieux, médiocre, monotone, original, profond, solide. *Abréger,* *améliorer, consulter, corriger, écrire, élaborer, parcourir, rédiger, revoir un texte.*

THÈME banal, complexe, délicat, ennuyeux, favori, grave, important, insignifiant, intéressant, passionnant. *Aborder, développer, élaborer, expliquer un thème; débattre d'un thème; improviser sur un thème.*

THERMOMÈTRE fiable, gradué, précis, sensible. *Consulter, insérer, installer, lire un thermomètre.*

TIC agaçant, inconscient, incontrôlable, irrépressible, machinal, nerveux. *Avoir, cesser un tic; être plein de tics.*

TIGE droite, élancée, épineuse, fragile, frêle, grimpante, menue, rampante, rigide, robuste, souple, velue, vigoureuse. *Une tige fléchit, penche, plie, rampe, se dresse, se courbe, se rompt, s'étend, s'incline.*

TIGRE (féminin: **tigresse**) agressif, féroce, furieux, majestueux, puissant, sanguinaire, sournois. *Un tigre attaque, bondit, dévore, rôde, s'élance, surgit; (ses cris) feule, râle, rauque.*

TIMIDITÉ charmante, excessive, extrême, farouche, incroyable,

incurable, insurmontable, naturelle, paralysante. *Dompter, surmonter, vaincre la/sa timidité; lutter contre sa timidité.*

TISSU brillant, brodé, clair, délicat, doux, élimé, épais, extensible, fin, fleuri, fragile, imperméable, infroissable, léger, lourd, mince, moelleux, naturel, pelucheux, piquant, rêche, résistant, rude, satiné, sobre, souple, soyeux, synthétique, transparent, uni, vaporeux.

TOILE (*tissu*) délicate, durable, épaisse, fine, grossière, légère, lourde, résistante, rude, rugueuse, solide, souple. □(*art, tableau*) admirable, célèbre, hideuse, immense, lumineuse, monumentale, passable, sombre, somptueuse, splendide, superbe. *Admirer, contempler, esquisser, exécuter, exposer, peindre, réaliser, restaurer une toile.*

TOIT abrupt, effondré, incliné, pentu, plat, pointu, raide, recourbé, vertigineux, vitré, voûté. *Construire, faire, recouvrir, réparer un toit.*

TON admiratif, affectueux, affirmatif, amical, amusé, arrogant, assuré, boudeur, bourru, brusque, calme, catégorique, désespéré, direct, dominateur, doux, dur, émouvant, ému, énergique, enjoué, ennuyeux, enthousiaste, excédé, fatigué, ferme, froid, grave, hésitant, implorant, léger, menaçant, méprisant, modéré, moqueur, piteux, plaintif, poli, prétentieux, protecteur, provocant, rassurant, ravi, respectueux, sec, sérieux, sévère, triomphant, violent. *Dire, parler, répliquer, répondre d'un ton (+ adjectif); employer, prendre un ton (+ adjectif).* Un ton baisse, change, monte, s'élève.

TONNERRE assourdissant, incessant, ininterrompu, lointain, menaçant, roulant. *Entendre le tonnerre.* Le tonnerre assourdit, éclate, gronde, retentit, ronfle.

TORNADE dévastatrice, effroyable, énorme, épouvantable, meurtrière, spectaculaire. *Affronter, subir une tornade; échapper, survivre à une tornade.* Une tornade déferle, fait rage, menace, s'apaise, se calme, se déchaîne, s'élève, surgit.

TORSE basané, bombé, développé, étroit, famélique, ferme, frêle, gracile, large, long, maigre, mince, mou, musclé, nu, poilu.

TORTUE centenaire, énorme, exotique, géante, gigantesque, miniature. Une tortue nage, progresse lentement.

TOUCHER agréable, délicat, doux, ferme, fin, granuleux, moelleux, répugnant, rude, rugueux, satiné, soyeux, velouté, visqueux.

TOUR (*édifice*) carrée, colossale, énorme, haute, immense, inclinée, massive, modeste, pointue, puissante, ronde, solide, solitaire, svelte, vertigineuse. Une tour domine, se dresse, s'élève. □(*plaisanterie*) bête, drôle, pendable, sale, stupide, vilain, vulgaire. *Faire, imaginer, inventer, jouer un tour.*

TOURNOI captivant, décevant, décisif, final, important, interminable, passionnant, spectaculaire. *Assister, prendre part à un tournoi; commenter, gagner, organiser, perdre, remporter un tournoi.*

TOUX bruyante, creuse, déchirante, discrète, grasse, grave, interminable, légère, prolongée, rauque, rebelle, sèche, tenace, vilaine, violente *Calmer la toux; souffrir d'une toux; soulager, traîner une toux.* Une toux persiste, s'amplifie, s'atténue, se prolonge, s'éternise.

TRADITION ancienne, authentique, désuète, forte, longue, originale, oubliée, récente, solide, tenace, véritable, vieille, vivante. *Abandonner, conserver, maintenir,* *perdre, perpétuer, rejeter, respecter, sauver, trahir une/les tradition(s).* Une tradition disparaît, meurt, naît, s'instaure ; la tradition affirme, dit, prétend, raconte, rapporte.

TRAFIC clairsemé, dense, désorganisé, embouteillé, encombré, énorme, infernal, intense, interrompu, normal, perturbé, ralenti, rapide, régulier. *Arrêter, bloquer, dévier, faciliter, interdire, interrompre, perturber, ralentir le trafic.* Le trafic augmente, diminue, ralentit, s'intensifie.

TRAGÉDIE affreuse, effroyable, émouvante, épouvantable, mémorable, sombre, terrible, véritable. *Affronter, empêcher, éviter, provoquer une tragédie ; faire face, survivre à une tragédie ; tourner en tragédie.* Une tragédie a lieu, arrive, menace, s'annonce, se prépare, se produit.

TRAIN bondé, complet, direct, express, interminable, lent, luxueux, rapide, régulier. *Attraper, manquer, prendre, rater un/son train ; débarquer, descendre d'un/du train ; monter, sauter, se précipiter dans un train ; voyager en train.* Un train arrive, démarre, déraille, part, ralentit, roule, accélère, s'arrête, s'ébranle, s'élance, siffle, s'immobilise.

TRAÎNEAU chargé, léger, lourd, rapide. *Pousser, tirer un traîneau.* Un traîneau glisse, file.

TRAITEMENT approprié, choc, ciblé, douloureux, efficace, inoffensif, intensif, miraculeux, préventif, prometteur, rigoureux, sévère. *Entreprendre, prescrire, recevoir, suivre, tolérer un traitement ; être en/sous traitement.*

TRANSPIRATION abondante, continuelle, excessive, légère. *Diminuer, éponger, favoriser, réduire la transpiration ; être en transpiration ; être ruisselant/ trempé de transpiration.*

TRANSPORT accéléré, immédiat, léger, lourd, rapide, tardif. *Assurer, faciliter, prévoir le transport.*

TRAUMATISME considérable, énorme, grave, léger, profond, terrible, violent. *Déclencher, occasionner, provoquer, subir, surmonter un traumatisme ; sortir, souffrir d'un traumatisme.*

TRAVAIL abrutissant, amusant, ardu, assommant, colossal, considérable, courageux, créatif, délicat, ennuyeux, excellent, exténuant, fructueux, honnête, impeccable, inhumain, intéressant, intermittent, irréprochable, laborieux, passionnant, pénible, remarquable, répétitif, satisfaisant, sérieux, soigné, stressant, titanesque, urgent, utile, valorisant, varié. *Accomplir, apprendre, chercher, entreprendre, exécuter, réaliser, réussir, soigner, terminer, trouver un/son travail; s'appliquer, se crever, se mettre, se tuer au travail.*

TRAVAILLEUR (féminin: **travailleuse**) acharné, assidu, compétent, consciencieux, doué, efficace, honnête, infatigable, médiocre, minutieux, motivé, piètre, productif, responsable, soigneux, surmené.

TRÉSOR fabuleux, immense, inestimable, modeste, précieux, remarquable, riche. *Cacher, chercher, découvrir, déterrer, enfouir, trouver un trésor.*

TRIOMPHE assuré, court, discret, éclatant, énorme, éphémère, justifié, mérité, modeste, momentané, véritable. *Jouir de son triomphe; savourer son triomphe.*

TRISTESSE extrême, indéfinissable, inexprimable, infinie, inguérissable, insupportable, insurmontable, légère, profonde, vague. *Causer, exprimer une tristesse (+ adjectif); éprouver, ressentir de la tristesse; être rongé* par la tristesse. *La tristesse se dissipe, s'installe, surgit.*

TRONC colossal, creux, élancé, énorme, géant, lisse, massif, moussu, noueux, pourri, rabougri, ridé, rude, rugueux, tordu, vermoulu. *Abattre, couper, scier un tronc.*

TROPHÉE convoité, important, prestigieux. *Décerner, décrocher, gagner, mériter, obtenir, recevoir, remettre, remporter un trophée; s'emparer d'un trophée.*

TROT allègre, allongé, ample, balancé, cahotant, gracieux, lent, paisible, puissant, rapide, régulier, sec, vif. *Aller, courir, partir, traîner d'un trot (+ adjectif); aller, filer, marcher, partir au trot.*

TROU béant, dangereux, énorme, étroit, immense, infranchissable, large, noir, obscur, profond, rond, sombre, vaste. *Agrandir, combler, creuser, façonner, percer, remplir un trou; s'enfouir, s'engouffrer, tomber dans un trou.*

TROUVAILLE accidentelle, capitale, étonnante, fantastique, immense, inespérée, sensationnelle, spectaculaire, stupéfiante, véritable. *Accomplir, annoncer, effectuer, faire, réaliser une trouvaille.*

TRUC efficace, infaillible, ingénieux. *Chercher, imaginer, inventer, mettre au point, trouver un truc.*

TUNNEL court, étroit, interminable, large, long, noir, obscur, rectiligne, sinueux. *Creuser, emprunter, percer un tunnel; entrer, pénétrer, s'engouffrer dans un tunnel; sortir d'un tunnel.*

TYRAN affreux, atroce, cruel, dur, ignoble, impitoyable, monstrueux. *Agir, se comporter, se conduire en tyran; être un tyran (+ adjectif); lutter contre un tyran.*

TYRANNIE cruelle, épouvantable, impitoyable, insupportable, monstrueuse, odieuse, sournoise. *Combattre, détruire, haïr la tyrannie; exercer, subir une tyrannie (+ adjectif); lutter contre la tyrannie.*

U

UNIVERS clos, connu, étrange, fascinant, féerique, grandiose, hostile, imaginaire, impitoyable, insolite, vaste. *Entrer, vivre dans un* univers *(+ adjectif); pénétrer un* univers.

UNIVERSITÉ célèbre, élitiste, méconnue, prestigieuse, renommée, réputée. *Délaisser, fréquenter, quitter l'*université*; enseigner dans une* université*; être admis, étudier, faire ses études, s'inscrire à l'*université*; sortir d'une* université.

URGENCE capitale, extrême, immédiate, indiscutable. *Être d'une* urgence *(+ adjectif)*.

USAGE abondant, abusif, constant, courant, excellent, excessif, exagéré, fréquent, inapproprié, modéré, normal, prolongé.

USINE abandonnée, désaffectée, imposante, moderne, polluante, propre, spécialisée, standardisée, vaste. *Agrandir, bâtir, diriger, exploiter, fonder, implanter, moderniser, robotiser une* usine. Une usine démarre, ferme, périclite, prospère.

V

VACANCES agréables, annuelles, balnéaires, brèves, culturelles, fabuleuses, festives, forcées, gâchées, idéales, inoubliables, ludiques, luxueuses, médiocres, mémorables, paradisiaques, parfaites, prolongées, reposantes, rêvées, scolaires, sportives, stressantes, studieuses, tranquilles, vertes. *Aller, être, partir en vacances; allonger, apprécier, prendre, prévoir, raccourcir, réussir, s'offrir, des/ses vacances; avoir besoin, rentrer, revenir, se priver de vacances; profiter des vacances.* Les vacances approchent, commencent, finissent, s'achèvent, se déroulent, tirent à leur fin.

VACARME abrutissant, agaçant, continuel, étourdissant, exaspérant, horrible, incessant, incommodant, infernal, insupportable, intolérable. *Entendre, faire du vacarme.* Un vacarme diminue, éclate, grandit, persiste, règne, s'affaiblit, s'amplifie, se produit.

VACHE agitée, calme, douce, énorme, maigre, paisible, performante, robuste, trapue, turbulente. *Conduire, faire paître, garder, traire les vaches.* Une vache broute, mâche, mastique, paît, rue, rumine, vêle; (*ses cris*) beugle, meugle, mugit.

VAGUE bondissante, bouillonnante, écumante, déferlante, énorme, faible, forte, géante, gigantesque, haute, impressionnante, légère, menaçante, puissante. *Être renversé par une vague; faire, produire des vagues.* Une vague arrive, déferle, engloutit, envahit, monte, se brise, s'élève, se retire, se soulève, submerge.

VAINQUEUR célèbre, glorieux, heureux, incontesté, puissant. *Être, être déclaré, sortir vainqueur; féliciter, proclamer, récompenser le vainqueur.*

VAISSELLE (*porcelaine*) attrayante, colorée, élégante, épaisse, fine, fragile, grossière, incassable, jetable, raffinée, réutilisable, robuste, sobre, solide, unie. □(*vaisselle utilisée*) brillante, écurée, étincelante, immaculée, impeccable, propre, sale. *Écurer, empiler, entasser, essuyer, laver la vaisselle.*

VALEUR (*prix*) approximative, courante, exacte, faible, globale, insignifiante, maximale, minimale, moyenne, réelle, totale. *Augmenter, baisser, doubler de valeur; calculer, déterminer, estimer la valeur.* □(*qualité, principe*) exemplaire, immense, inestimable, insoupçonnée, irremplaçable, profonde, sentimentale, suprême, véritable. *Apprécier, ignorer, reconnaître, respecter la* *valeur (de quelqu'un/ de quelque chose).*

VALISE énorme, lourde, ordonnée, rigide, souple. *Boucler, bourrer, consigner, faire, fermer, ouvrir, porter, soupeser une/sa/ses valise(s); se trimbaler avec ses valises.*

VALLÉE aride, boisée, cultivée, douce, encaissée, étendue, étroite, fertile, herbeuse, immense, inaccessible, pittoresque, profonde, rocheuse, sauvage, sinueuse, tranquille. *Franchir, traverser une vallée.* Une vallée apparaît, s'élargit, se resserre, s'étale, s'étend.

VALSE douce, effrénée, élégante, enivrante, enlevée, entraînante, gracile, langoureuse, lente, passionnée, rapide, romantique, rythmée, somptueuse, tourbillonnante, triste. *Danser, exécuter, jouer une valse.*

VARIÉTÉ énorme, étonnante, exceptionnelle, extrême, fascinante, illimitée, immense, importante, impressionnante, incroyable, infime, infinie, inouïe, restreinte, riche, stupéfiante. *Connaître, offrir, présenter, proposer une variété (+ adjectif); manquer de variété.*

VASE (*boue*) épaisse, compacte, durcie, glissante, gluante, nauséabonde, séchée. *S'échouer, s'enfoncer, tomber dans la vase.* □(*à fleurs*) antique, délicat, fragile, mince, précieux, translucide.

VEAU affamé, agité, craintif, folâtre, maigre, robuste. Un veau broute, fait des cabrioles, paît, tète; (*ses cris*) beugle, meugle.

VEDETTE adulée, capricieuse, éblouissante, énorme, gâtée, immense, incontestée, internationale, locale, planétaire. *Devenir, fabriquer, lancer une vedette.*

VÉGÉTATION abondante, clairsemée, débordante, dense, désertique, envahissante, excessive, exotique, exubérante, florissante, généreuse, luxuriante, pauvre, plantureuse, rare, riche, tropicale, variée, vigoureuse. *Être couvert/dépourvu de végétation; être doté, jouir d'une végétation (+ adjectif); être pauvre/riche en végétation.* La végétation croît, pousse, se raréfie, surgit, verdit.

VÉHICULE bruyant, confortable, délabré, fiable, luxueux, performant, polluant, robuste, silencieux, sobre, spacieux. *Conduire, entretenir, faire fonctionner, garer,* *réparer, stationner un véhicule; embarquer, entrer, monter, s'engouffrer dans un véhicule.* Un véhicule acquiert de la vitesse, avance, démarre, dérape, recule, s'arrête, s'immobilise.

VÉLO crevé, déglingué, délabré, déraillé, équipé, léger, neuf, robuste, rutilant, trapu, vétuste. *Avoir, enfourcher, ranger, réparer, utiliser un vélo; aller, être, monter, rouler, se balader, se déplacer, se promener, venir à/en vélo; faire du vélo; pratiquer le vélo.*

VENGEANCE calculée, cruelle, démesurée, douce, farouche, impitoyable, ingénieuse, juste, redoutable, satisfaite, secrète, sévère, suprême, tardive, terrible. *Assouvir, exercer, préparer, redouter, ruminer, satisfaire, savourer une vengeance; renoncer à une vengeance.* Une vengeance couve, éclate, plane, se manifeste.

VENT aride, caressant, cinglant, déchaîné, doux, faible, féroce, fort, frais, frigorifiant, froid, glacé, humide, modéré, rafraîchissant, sec, soudain, tenace, terrible, tiède, violent. *Abriter, se protéger du vent; battre, claquer, flotter, se balancer au vent; braver le vent.* Un vent augmente, balaie, bourdonne, cesse, change, diminue, faiblit, hurle, rugit, s'apaise, se calme, se déchaîne, se lève, siffle, souffle, tourbillonne, tourne.

VENTE astronomique, énorme, exclusive, forcée, libre, promotionnelle, pyramidale, rapide, régulière, sensationnelle, spectaculaire. *Annoncer, annuler, conclure, effectuer, négocier, rater, réaliser, résilier une vente; être, offrir, mettre en vente.*

VENTRE arrondi, ballonné, bedonnant, bombé, creusé, dur, enflé, énorme, flasque, gonflé, mou, musclé, plat, proéminent, rebondi, relâché, rond, saillant, tendu. *Avoir un ventre (+ adjectif).*

VER agité, énorme, minuscule, passif, vivant. *Fixer un ver.*

VERNIS (*à ongles*) brillant, cristallin, incolore, léger, mat, nacré, rugueux, transparent. *Appliquer un vernis; couvrir d'un vernis.* Un vernis s'écaille, se craquelle, se fendille. □ (*bois, plancher*) brillant, clair, coloré, consistant, incolore, mat, protecteur, résistant, satiné, terne, transparent, visqueux. *Appliquer, décaper, étendre, passer, raviver, utiliser un vernis; recouvrir d'un vernis.* Un vernis durcit, sèche, se craquelle, se fend, se fendille.

VERRE (*substance*) coloré, craquelé, épais, fin, fumé, incassable, incolore, mat, opaque, poli, soufflé, teinté, transparent. *Fabriquer, polir, souffler du verre.* □(*récipient, contenant*) bas, bombé, élancé, étroit, évasé, haut, massif, svelte. *Casser, ébrécher un verre; choquer, cogner son verre; essuyer, faire tinter, laver, rincer les verres.*

VERT bleuâtre, bouteille, chou, clair, délavé, émeraude, épinard, fluo, foncé, forêt, frais, intense, jade, jaunâtre, lumineux, olive, pâle, pistache, pomme, soutenu, tendre, tilleul, vif.

VESTON ample, ajusté, chaud, chic, cintré, croisé, élégant, élimé, étriqué, léger, miteux, râpé, serré. *Boutonner, endosser, enfiler, enlever, porter, retirer, suspendre un veston.*

VÊTEMENT ajusté, ample, avachi, chaud, confortable, décontracté, défraîchi, délabré, démodé, désuet, discret, effiloché, élimé, excentrique, extravagant, fatigué, fripé, froissé, indémodable, léger, lourd, misérable, miteux, pelé, râpé, ridicule, seyant, sobre, sombre, somptueux, sophistiqué, souillé, strict, taché, usé, voyant. *Changer de vêtements; confectionner, coudre, enfiler, enlever, essayer, porter, retirer, retoucher, revêtir, tailler un vêtement.* Un

vêtement colle, flotte, moule, serre.

VIANDE avariée, bouillie, braisée, coriace, crue, douteuse, dure, fibreuse, fraîche, froide, fumée, grasse, grillée, infecte, juteuse, maigre, marinée, panée, rôtie, saignante, salée, séchée, tendre. *Congeler, couper, désosser, émincer, faire griller, hacher, parer, réchauffer la/de la viande; s'alimenter, se nourrir de viande.*

VICTOIRE brillante, courte, discutable, douce, douteuse, éclatante, écrasante, formidable, foudroyante, fracassante, historique, importante, inespérée, mémorable, méritée, modeste, prévisible, provisoire, remarquable, retentissante, spectaculaire, stupéfiante, tranquille, triomphale. *Annoncer, célébrer, compromettre, enregistrer, fêter, frôler, obtenir, remporter, savourer une/la victoire.*

VIE agréable, aventureuse, banale, brisée, chaotique, compliquée, dangereuse, décente, douillette, ennuyeuse, exaltante, exemplaire, fade, fastueuse, heureuse, infernale, irréprochable, luxueuse, médiocre, misérable, modeste, mondaine, mouvementée, opulente, paisible, pénible, privilégiée, rangée, remplie, rêvée, rude, saine, simple, stable, tragique, trépidante, triste. *Avoir, mener, vivre une* vie *(+ adjectif); jouir, profiter de la* vie*; gâcher, gagner, mendier, rater, réussir, risquer, sacrifier, sauver, vivre sa* vie. Une vie se complique, se déroule, se poursuit, se transforme.

VIEILLARD abandonné, agile, aigri, aimable, amer, courbé, décharné, désabusé, digne, édenté, élégant, fortuné, fragile, frêle, fringant, grincheux, heureux, honorable, impotent, invalide, lucide, maussade, mesquin, morose, paisible, pauvre, respectable, robuste, sage, sédentaire, sénile, solitaire, tremblant, usé, vacillant, vigoureux, voûté.

VIEILLESSE active, agréable, aisée, comblée, confortable, décente, dorée, épanouie, heureuse, misérable, monotone, oisive, paisible, pénible, précoce, respectable, sereine, solitaire, tranquille, triste. *Arriver, parvenir, penser à la* vieillesse*; avoir, mener, passer, se préparer, subir, vivre une* vieillesse *(+ adjectif).*

VIGNE âgée, faible, grimpante, jeune, rampante, sauvage, vigoureuse. *Cultiver, entretenir, planter, soigner, tailler, vendanger une* vigne.

VIGNOBLE célèbre, étendu, exceptionnel, florissant, généreux, illustre, large, minuscule, modeste, prestigieux, réputé, vaste. *Exploiter, implanter, vendanger, visiter un* vignoble.

VILLAGE abandonné, accueillant, charmant, coquet, cossu, délabré, déserté, dynamique, fantôme, inhabité, isolé, modeste, paisible, pittoresque, prospère, ravissant, tranquille. *Entrer, passer dans un* village*; parcourir, traverser un* village.

VILLE accueillante, animée, austère, bruyante, calme, coquette, cosmopolite, cossue, déprimante, dure, dynamique, ennuyeuse, gigantesque, monotone, monstrueuse, paisible, pittoresque, polluée, populeuse, propre, prospère, riche, scintillante, séduisante, touristique, tranquille, trépidante, triste, vaste, vivante. *Demeurer, entrer, marcher, rester, se promener, se repérer dans une* ville*; habiter, s'installer en* ville. Une ville s'anime, s'endort, se réveille.

VIN désaltérant, effervescent, enivrant, excellent, infect, médiocre, mousseux, passable, pétillant. *Apprécier, boire, déguster, faire, produire, savourer, servir, siroter un/du* vin. Un vin embaume, mousse, pétille, vieillit.

VIOLENCE brutale, contenue, excessive, extrême, incontrôlée, injustifiable, inouïe, insensée, insoutenable, rare, soudaine, stupide, terrible, terrifiante. *Alimenter, cesser, contenir, contrôler, dénoncer, éliminer, encourager, entretenir, pratiquer, subir, vaincre la* violence *; s'enfoncer, sombrer dans la* violence. La violence baisse, explose, se déchaîne, se manifeste, se répand.

VIOLET bleuté, clair, criard, éclatant, foncé, intense, lumineux, pâle, rougeâtre, sombre, terne.

VIOLON admirable, célèbre, excellent, exceptionnel, médiocre, remarquable. *Accompagner, interpréter au* violon *; accorder, racler un* violon *; gratter, jouer du* violon. Un violon chante, grince.

VIOLONISTE célèbre, doué, excellent, illustre, habile, impressionnant, médiocre, performant, piètre, populaire, prestigieux, renommé, réputé, talentueux, virtuose.

VIRAGE abrupt, brusque, dangereux, fatal, périlleux, raide, soudain, traître. *Accélérer, déraper, doubler, freiner dans un* virage *; amorcer, manquer, négocier, prendre, rater un* virage.

VIRUS (*médecine*) contagieux, dangereux, foudroyant, mortel, redoutable, terrifiant, virulent. *Attraper, combattre, contracter, inoculer, transmettre un* virus. Un virus se développe, se multiplie, se répand, se propage. ☐ (*informatique*) agressif, destructeur, inconnu, majeur, ravageur, redoutable. *Créer, découvrir, détecter, envoyer, fabriquer, introduire, lancer, neutraliser, produire un* virus. Un virus se manifeste, se produit, se propage, se répand, se transmet.

VISAGE agréable, angoissé, animé, antipathique, blême, boudeur, boutonneux, bronzé, charmeur, émacié, épanoui, expressif, fade, fatigué, fermé, gonflé, gracieux, harmonieux, hostile, imberbe, ingrat, intelligent, jovial, maussade, pensif, plissé, ravissant, rayonnant, réjoui, repoussant, ridé, rouge, rude, serein, sévère, sombre, songeur, soupçonneux, tourmenté, triste. Un visage s'anime, s'apaise, s'assombrit, s'éclaire, se crispe, se détend, se durcit, se ferme, s'illumine.

VISITE (*chez une connaissance, etc.*) amicale, brève, courte, éclair, fructueuse, habituelle, imprévue, inattendue, inespérée, insolite, occasionnelle, rapide. *Attendre, avoir, recevoir de la visite; écourter, effectuer, faire, remettre, retarder une visite.* □ (*au musée, etc.*) accompagnée, brève, commentée, éclair, encadrée, ennuyeuse, enrichissante, guidée, intéressante, obligée, organisée, rapide, touristique, vivante. *Effectuer, faire, organiser une visite.*

VITESSE affolante, considérable, constante, déconcertante, étourdissante, exagérée, excessive, extrême, faible, folle, fulgurante, hallucinante, limitée, maximale, minimale, modérée, moyenne, normale, raisonnable, réduite, suffisante, vertigineuse. *Accélérer, augmenter, conserver, diminuer, limiter, modérer, ralentir, réduire sa/la vitesse.* Une vitesse augmente, diminue, s'accélère.

VITRE brisée, éclatée, embuée, étincelante, givrée, teintée, translucide. *Briser, casser, tailler une vitre; laver, nettoyer les vitres.* Une vitre éclate, se casse, vibre, vole en éclats.

VOCABULAIRE abondant, approprié, châtié, choisi, coloré, élaboré, élégant, enrichi, exact, imagé, pauvre, redondant, répétitif, restreint, savant, simple, varié, vaste.

VOISIN (féminin : **voisine**) accueillant, aimable, bienveillant, bruyant, charmant, encombrant, envahissant, malfaisant, serviable, tranquille. *Fréquenter, ignorer, respecter, visiter ses voisins.*

VOITURE accidentée, bosselée, bringuebalante, bruyante, climatisée, confortable, coûteuse, décapotable, d'occasion, économique, élégante, endommagée, entretenue, fiable, irrécupérable, luxueuse, modeste, performante, polluante, puissante, rapide, rare, rutilante, silencieuse, super-équipée. *Conduire, démarrer, dépanner, garer, heurter, immatriculer, immobiliser, piloter, remorquer, réparer, stationner, vandaliser une voiture.* Une voiture avance, cahote, cale, capote, démarre, dérape, freine, ralentit, roule, s'arrête, s'ébranle, se renverse, stationne, zigzague.

VOIX affectueuse, agréable, aiguë, apaisante, assurée, basse, boudeuse, bouleversée, bourrue, bredouillante, chaleureuse, chaude, claire, criarde, douce, émue, engourdie, étouffée, exaspérée, faible, ferme, forte, grave, haute, hésitante, joyeuse, mélodieuse, moqueuse, paisible, perçante, plaintive, pleurni-charde, pointue, posée, rassu-rante, rude, sereine, sévère, suppliante, sûre, sympathique, tendre, terne, timide, touchante, traînante, triomphante, triste. *Affermir, baisser, élever, hausser, s'éclaircir, s'érailler, travailler la/sa voix.* Une voix crie, porte, résonne, retentit, s'affaiblit, s'élève, traîne.

VOL (*oiseau,* etc.) audacieux, circulaire, haut, léger, lent, majes-tueux, plané, puissant, rapide, rasant, silencieux, stationnaire. *Admirer, regarder, suivre le vol (d'un papillon,* etc.*).* □ (*aviation*) affrété, chaotique, court, direct, interminable, long, nolisé, régulier, sans escale. *Annuler, effectuer, prendre un vol; rater son vol.* □ (*délit*) audacieux, insigni-fiant, minime, spectaculaire. *Commettre, découvrir, faire un vol.*

VOLLEY-BALL *Jouer, s'adonner au volley-ball; pratiquer le volley-ball.*

VOLONTÉ acharnée, chance-lante, constante, continue, faible, forte, immuable, inébranlable, inflexible, persistante, réelle, tenace. *Afficher, avoir une volonté (+ adjectif).*

VOLUME (*livre*) abîmé, ancien, cartonné, écorné, élimé, énorme,

épais, lourd, luxueux, mince, minuscule, précieux, rare, relié, usé. *Consulter, feuilleter, prendre, ranger un volume.* □ (*espace, quantité*) considérable, excessif, faible, important, insignifiant, modeste, négligeable. *Augmenter, diminuer de volume; gagner en volume.*

VOTE crucial, décisif, honnête, indécis, massif, modéré. *Annuler, enregistrer, influencer, remettre un vote; participer, procéder à un vote.*

VOYAGE aventureux, coûteux, décevant, désastreux, éclair, économique, ennuyeux, enri-chissant, éprouvant, épuisant, exceptionnel, fabuleux, fatigant, improvisé, inoubliable, inter-minable, luxueux, mouvementé, passionnant, pénible, rapide, somptueux, sublime. *Accomplir, annuler, décommander, écourter, effectuer, interrompre, organiser, poursuivre, préparer, projeter, prolonger, raconter, réaliser, reporter, retarder un/son voyage; aller, partir en voyage; arriver, rentrer, revenir de voyage.* Un voyage débute, commence, se déroule, se passe, se poursuit, se prépare, se termine.

VOYAGEUR (féminin: voya-geuse) aventureux, blasé, curieux, ébahi, égaré, enthousiaste, épuisé, errant, frénétique, imprudent, infatigable, inlassable, intrépide, passionné, solitaire. *Accueillir, déposer, faire descendre, prendre un/des voyageur(s).*

VUE (*panorama*) admirable, éblouissante, époustouflante, étendue, exceptionnelle, fascinante, imprenable, impressionnante, inoubliable, panoramique, saisissante, spectaculaire, stupéfiante, vertigineuse. *Admirer, apprécier, cacher, découvrir une/la vue ; avoir, offrir, posséder une vue (+ adjectif).* La vue s'élargit, s'étend. □(*vision, sens*) affaiblie, basse, bonne, embrouillée, excellente, faible, fatiguée, médiocre, perçante, trouble. *Améliorer, brouiller, fatiguer, perdre, préserver, recouvrer la vue ; avoir une/la vue (+ adjectif).* La vue baisse, s'embrouille, s'affaiblit, s'améliore.

W

WAGON aménagé, bondé, climatisé, comble, confortable, désert, enfumé, lent, luxueux, plein, rapide, rempli, silencieux, spacieux, vide. *Descendre du/ d'un wagon; monter, s'installer dans un wagon.*

X

XYLOPHONE harmonieux, mélodieux, perçant, feutré, sonore. *Jouer du xylophone; pratiquer le xylophone.*

Y

YEUX allongés, abattus, bouffis, bridés, brillants, cernés, clairs, creux, ébahis, écarquillés, embués, énormes, éteints, exorbités, expressifs, fatigués, fixes, gonflés, immenses, intelligents, larmoyants, luisants, mobiles, pensifs, pétillants, pochés, proéminents, ravissants, saillants, ternes, tristes, tuméfiés, veinés, vifs, vitreux. *Avoir des/les yeux (+ adjectif); baisser, cligner, détourner, écarquiller, entrouvrir, fermer, fixer, lever, plisser, se frotter, se maquiller, s'essuyer les/ses yeux; chercher, guetter, manger, suivre des yeux.*

YOGA *Pratiquer le yoga; s'adonner au yoga.*

YOGOURT aromatisé, crémeux, épais, fruité, léger, sucré, sur. *Avaler, déguster, savourer un yogourt.*

Z

ZÈBRE agité, craintif, grégaire, nerveux, vulnérable, solitaire. Un zèbre fuit, galope, gambade, paît, rumine ; (*son cri*) hennit.

ZONE accidentée, boisée, clair-semée, désertique, dévastée, fertile, inhabitée, préservée, protégée, surpeuplée. *Assainir, défendre, envahir, évacuer, explorer, interdire, occuper une* zone *; entrer, pénétrer dans une* zone *; sortir d'une* zone.

ZOO achalandé, captivant, célèbre, complet, désert, ennuyeux, exotique, fascinant, immense, intéressant, minuscule, moderne, modeste, pauvre, pédagogique, réputé, riche, vieux. *Explorer, visiter un* zoo.

ACHEVÉ D'IMPRIMER
EN L'AN DEUX
MILLE
CINQ
SUR LES
PRESSES DES
ATELIERS GUÉRIN
MONTRÉAL (QUÉBEC)